VILLES-JARDINS

ANNA YUDINA

VILLES-JARDINS

VERS UNE FUSION
ENTRE LE VÉGÉTAL
ET LA VILLE

TOUR DU MONDE
DES PROJETS
ET RÉALISATIONS
LES PLUS INNOVANTS

ULMER

Table des matières

Introduction

Le lecteur qui verrait dans le titre de ce livre une allusion au mouvement des cités-jardins, ces ceintures vertes péri-urbaines de la fin du XIXᵉ, ferait fausse route. Il faut plutôt suivre la voie indiquée par Ray Kurzweil, inventeur et gourou de l'intelligence artificielle chez Google, selon qui l'« hybridation des intelligences biologiques et non biologiques » sera l'un des traits marquants de notre monde de demain. Le sujet de ce livre est la métropole, la *Big City*, et son « hybridation » croissante avec le végétal, sous l'action des jardiniers. Que le collectif d'architectes paysagistes Coloco déclare s'inspirer du jardinier, qui observe avec respect la dynamique de la nature et en récolte l'énergie tout en essayant d'interférer le moins possible avec ses processus, est un premier indice de ce mouvement. Que « le jardinier » se trouve être l'un des thèmes clés d'une conversation avec Marco Casagrande, un architecte dont le travail se situe à la lisière de l'art environnemental et puise largement dans l'urbanisme de guérilla, est un second indice. Et quand Luis Bettencourt, théoricien de la physique et expert des systèmes complexes, qui élabore actuellement une théorie mathématique de la ville, voit dans l'attitude du jardinier la démarche urbanistique la plus pertinente et la plus accueillante pour la vie, ce nouveau concept de « ville-jardin » commence à se préciser.

La ville-jardin est un organisme à part entière, où le naturel et l'artificiel, le construit et le cultivé, le « biologique » et le « numérique » fusionnent pour vivre et respirer. Tout comme un jardin normal, elle allie création et spontanéité. Ses créateurs vont se transformer en jardiniers pour concevoir, non pas une structure figée, mais un écosystème complexe en mutation permanente. Les hommes ont inventé les villes et construit les réseaux de transport, de services publics et de communication. Nous avons connu deux révolutions industrielles et abordons désormais la troisième, basée sur une mise en réseau globale et une production d'énergies renouvelables décentralisée. En chemin, nous avons peu à peu perdu le contact avec la nature, bien que, par définition, nous n'ayons jamais cessé d'en être une composante. Aujourd'hui, nous nous rendons compte à quel point il est urgent de renouer avec elle. Le défi est de ne pas tomber dans le piège d'un verdissement superficiel : nous devons rétablir un contact réel, sans pour autant renoncer aux avantages des grandes cités contemporaines. La présence de la nature est, entre autres atouts, un puissant stimulant pour notre créativité et donc la poursuite de notre évolution. Dans le même temps, l'essence de la ville est de stimuler les interactions entre ses habitants qui génèrent ainsi de nouvelles idées, activités, valeurs. Imaginez le formidable terreau pour l'innovation que pourrait être la ville si elle tirait « le végétal vers l'artificiel et le fertile vers l'urbain », pour reprendre les mots de Peter Cook, l'un des fondateurs du groupe d'architectes visionnaires Archigram.

Villes-jardins envisage les nouveaux concepts, formes architecturales et interventions spatiales résultant du travail des architectes et des urbanistes ayant fait de l'intelligence, de la beauté et de la générosité de la nature leurs alliés. Ce livre présente une sélection de constructions achevées, ou en cours, et des projets (souvent étayés par des études de faisabilité) qui éclairent les diverses facettes de ce vaste sujet. Qu'en sera-t-il, sur le plan fonctionnel comme esthétique, si la végétation « est intégrée dans la substance même de l'édifice », pour citer une fois encore Peter Cook ? Quel traitement peut-on réserver aux tours, le type d'architecture le moins écologique qui soit, du moins aujourd'hui, mais que l'on ne peut pas exclure de nos agglomérations dans un contexte de démographie croissante ? Quels défis conceptuels devront relever les « immeubles productifs » qui, par exemple, accueillent des exploitations agricoles urbaines d'échelle industrielle ou servent d'immenses purificateurs d'air ? Le béton est-il propice aux cultures ? Dans les zones très construites, qui ne laissent pas de place aux parcs et jardins traditionnels, où trouver des lieux alternatifs pour la nature, et comment pourront-ils modifier notre perception de l'espace vert ? Après la conquête des façades et des toitures urbaines, quelle est la prochaine étape du végétal ? Est-il susceptible de mobilité ? On pense à cette idée de jardin flottant sur une barge autour de Manhattan, lancée en 1970 par Robert Smithson, pionnier du Land Art, et concrétisée en 2005 par le Whitney Museum of American Art avec les paysagistes Balmori Associates. Pourquoi ne pas imaginer d'autres modes de mobilité, naguère impensables ?

Certains concepteurs ont créé des réserves urbaines que les passants sont invités à admirer mais pas à pénétrer, comme *Time Landscape* d'Alan Sonfist à New York ou l'île Derborence de Gilles Clément à Lille, une petite forêt perchée sur un socle haut de 7 mètres. Ailleurs, les citadins sont encouragés à partager leur domicile et leur bureau avec la végétation, comme dans les « biosphères » intégrées du nouveau siège d'Amazon à Seattle, qui exigent un juste équilibre entre la température et l'humidité, tant pour les plantes que pour les humains et leurs ordinateurs portables. Certains concepteurs envisagent la végétation comme un matériau de construction qui doit avoir besoin d'aussi peu d'entretien que possible. D'autres, au contraire, envisagent les plantes comme les « compagnons » des résidents, des êtres vivants dont ils auront plaisir à prendre soin. Nous évoquerons aussi les projets hybrides où le biologique coopère avec le numérique au sein d'un même système, des architectures à l'interface de l'humain et de la nature ou des constructions dont la faculté d'évoluer, qualité inhérente à tout processus naturel, est précisée par le cahier des charges.

Jusqu'où le concept de « nature urbaine » peut-il être poussé ? Que pourions-nous ressentir ? Et comment transformera-t-il nos villes et, au bout du compte, nous-mêmes ? Les pages qui suivent proposent quelques réponses.

Fusion

Fusion

Ce premier chapitre est consacré à des projets où l'architecte réagit à des facteurs variés tels qu'un environnement dégradé, un air pollué, des difficultés liées au climat local, ou cherche à réduire l'empreinte carbone du projet et accroître la valeur perçue par l'utilisateur, en introduisant le végétal comme un élément essentiel de la solution.

Luciano Pia a imaginé, pour 25 Green, un îlot résidentiel à Turin, en Italie (p. 25), d'intégrer des arbres — dont certains dépassent les 8 mètres — pour créer une différence salutaire au sein d'une ancienne friche industrielle d'une des villes d'Europe qui souffre le plus de la pollution de l'air. Les terrasses plantées du Mountain de Copenhague, au Danemark (p. 34), sont le fruit de la volonté de Bjarke Ingel d'associer les avantages de l'immeuble urbain à ceux de la maison de campagne en une solution architecturale unique et cohérente. Studio Penda transforme des jardinières en éléments multifonctions d'un kit de montage pour une tour résidentielle customisable à Vidjayawada, en Inde (p. 38), tandis que les étagères plantées prodiguant de l'ombre à One Central Park Tower, tour élevée par Jean Nouvel et PTW Architects à Sydney en Australie (p. 22), pourraient se révéler plus performantes que les persiennes métalliques classiques. Pascale Dalix et Frédéric Chartier élèvent une « façade vivante » avec des caissons en béton qui accueillent des plantes, des oiseaux et des insectes (p. 48) — sans doute une réponse aux interrogations de Melissa Sperry, exégète du design, sur « les matériaux de construction prédominants qui sont vraiment hostiles à la vie, au point de se révéler inhabitables même pour l'espèce la plus résistante de toutes, le lichen ! » (extrait d'un essai pour le *Festival of the Future City*, Bristol, Grande-Bretagne, 2015).

Dans la plupart des bâtiments présentés dans ce chapitre, la végétation intervient aussi dans le contrôle de la température. Édouard François est même allé jusqu'à conseiller aux habitants de son Immeuble qui pousse, à Montpellier (p. 46), de ne pas installer la climatisation dans leurs appartements.

Tout part quelquefois d'une question simple, comme celle posée par l'architecte vietnamien Vo Trong Nghia : « Combien d'arbres pouvons-nous rendre à la planète quand nous construisons un immeuble ? » Nghia, dont l'agence est située dans une mégacité chaude, polluée et humide qui manque désespérément de végétation, veille à ce que ses projets répondent à cette interrogation. Ils se caractérisent aussi par un budget et une échelle raisonnables. C'est ainsi que House for Trees (p. 12), une maison familiale composée de plusieurs socles couronnés par des plantations d'arbres, a servi de prototype à un programme plus important de l'EPT University à Hoa Lac, au Viêtnam. Là, les « modules de caisses à arbres » façonnent un Gateway Building emblématique où la nature est accessible à chaque étage, mais ils servent aussi de brise-soleil et de climatisation passive. Dans un esprit similaire, quoique plus luxueux, l'agence singapourienne WOHA démontre que, même dans les quartiers urbains très construits, il est non seulement possible de maintenir la part d'espace vert, mais qu'elle peut être augmentée. Le luxuriant jardin aérien de son Parkroyal on Pickering occupe l'équivalent de deux fois l'emprise au sol de l'immeuble.

Une bonne dose d'expérimentation (qui peut éventuellement aboutir à des solutions industrielles) est nécessaire pour aider les plantes à prospérer dans des environnements qui ne leur sont pas naturels. C'est particulièrement vrai des projets où l'objet architectural, relief mi-naturel, mi-artificiel, s'intègre dans le paysage. C'est pourquoi Thomas Corbasson et Karine Chartier ont imaginé avec un cabinet d'ingénierie une structure porteuse pour la façade végétalisée et irrégulière qui fait de leur édifice le prolongement du parc adjacent (p. 50). Mis au point pour un projet particulier, ce système low-tech à faible entretien, est tout à fait envisageable pour d'autres projets. Pour la Torque House à Gyeonggi-do, en Corée du Sud (p. 54), Mass Studies et ses consultants paysagistes ont testé le Moss Catch System, un géotextile retenant la mousse et destiné à habiller les façades. Quant aux créations artistiques de Heather Ackroyd et Dan Harvey (p. 61), elles ont catalysé la recherche sur l'obtention d'espèces végétales xérophiles.

Luciano Pia a décrit en termes poétiques les sources de son inspiration : 25 Green exprime son souhait d'importer un fragment d'un fleuve et d'un parc. Quoi qu'il en soit, chacun des projets de ce chapitre annonce des possibilités de formes nouvelles, hybrides et différentes d'architecture et de nature, et refuse de se contenter d'un verdissement superficiel.

White Walls – Tower 25

Jean Nouvel avec Takis Sophocleous Architects / Nicosie, Chypre

Pour Jean Nouvel, chaque projet est l'occasion d'ajouter « une pièce manquante au puzzle », mais aussi d'offrir la réponse la plus poétique et la plus naturelle possibles au contexte et au cahier des charges. La végétation semble avoir envahi sa tour blanche haute de 66 mètres, l'édifice le plus élevé de la capitale chypriote et un nouveau phare pour l'un des lieux les plus emblématiques de la ville, la place Eleftheria. Les plantes jaillissent des ouvertures pixelisées et aléatoires des façades est et ouest et débordent des profonds balcons côté sud, qui s'étirent sur toute la largeur. Cette sélection d'espèces endémiques, grimpantes ou buissonnantes, recouvre près de 80 % de la façade, pour servir de brise-soleil et rafraîchir l'immeuble pendant les étés chauds et secs de Nicosie. On peut s'attendre à un dialogue visuel intéressant avec les motifs paysagers du nouveau parc signé par Zaha Hadid, où les mathématiques rencontrent le biologique, et qui est un élément du réaménagement de la place.

25 Green

Luciano Pia / Turin, Italie

Pour l'architecte turinois Luciano Pia,
25 Green, immeuble résidentiel de cinq
étages situé dans une ancienne zone
industrielle, concrétise un rêve d'enfant,
celui d'une maison dans les arbres.
La banalité du quartier a incité l'architecte
à imaginer un immeuble introverti,
une sorte d'oasis pour ses habitants,
tandis que la proximité du Pô et du parc
Valentino lui a soufflé l'idée « d'importer »
un fragment du fleuve et du parc dans
ce nouveau bloc urbain.

   Les appartements sont des modules,
de formes et de superficies variables,
empilés irrégulièrement. Leurs occupants
peuvent organiser les intérieurs en
toute liberté, selon leurs besoins et leurs
préférences. Chacun de ces modules
résidentiels, qui s'immergent dans une
« forêt habitable », possède une vaste
terrasse plantée d'arbres et d'arbustes :
au total 140 pour 63 logements. Le patio
en abrite 40 de plus. La forêt verticale qui
en résulte est inséparable de l'immeuble :
selon l'architecte, abattre l'un de ces arbres
reviendrait à démolir une partie du bâtiment.

Les bacs en acier Corten,
d'un diamètre de 2,30
à 4 mètres, font partie
de la façade. Ils accueillent
des essences très variées,
hautes de 2,50 à 8 mètres.

Les plantes forment un écran
protecteur souple, en mutation constante,
qui agit tant au niveau psychologique
que fonctionnel. Si les baies vitrées et les
escaliers extérieurs soulignent la notion
de continuité entre intérieur et extérieur,
le feuillage abondant crée un filtre entre
les espaces de vie et la rue bruyante.
Par ailleurs, c'est un purificateur d'air très
efficace, point non négligeable dans une
ville comme Turin où la pollution de l'air
atteint des niveaux dangereux. Ces arbres
à feuillage caduc prodiguent de l'ombre et
de la fraîcheur en été mais, après la chute
des feuilles en automne, ils laissent passer
plus de lumière en hiver. Un système de
collecte des eaux pluviales permet d'arroser
la végétation.

House for Trees

Vo Trong Nghia / Ho Chi Minh-Ville, Viêtnam

Si Vo Trong Nghia n'a donné le nom de House for Trees qu'à un seul de ses projets, sa seule ambition est d'élever des « maisons pour les arbres ».

L'agence principale de Nghia est située à Ho Chi Minh-Ville, de toutes les mégacités asiatiques celle qui est le plus privée d'espaces verts : à peine 0,70 m² par habitant, contre 66,20 m² en moyenne. Nghia veut faire revenir la nature dans cette ville qui souffre de la pollution, d'inondations fréquentes et d'une chaleur excessive.

Destinée à une famille de cinq personnes, House for Trees est une habitation prototype peu coûteuse intégrant des essences tropicales qui fournissent de l'ombre et une climatisation naturelle. Les arbres, qui demandent très peu d'entretien, sont aussi destinés à bénéficier à la communauté.

Située dans le quartier le plus peuplé de la ville et entourée de toutes parts de constructions très denses, la maison se subdivise en cinq volumes de béton de hauteurs différentes, qui font office de bacs à arbres géants. Remplis d'une épaisseur de 1,50 mètre de terre, ils accueillent de petits jardins en toitures et servent aussi de réservoirs pour les eaux pluviales (le dallage composé de pavés autobloquants engazonnés est perméable). Si Nghia parvient à produire cette maison en série, il aidera ses compatriotes, non seulement à renouer avec la nature, mais aussi à réduire les risques d'inondations.

La maison, dont le budget s'élève à 156 000 dollars, se compose de quatre volumes connectés et d'une série d'espaces partagés au rez-de-chaussée : une bibliothèque, une salle de bains, une salle à manger et une cuisine, les chambres étant situées dans les étages. Un cinquième volume détaché accueille un lieu de méditation. Le tout est couronné par une « forêt suspendue » qui repose sur une construction solide en béton. Selon Nghia, « L'arbre est le moyen le plus économique de se protéger du soleil au Viêtnam ». L'essence locale utilisée ici revient à seulement 200 dollars par sujet.

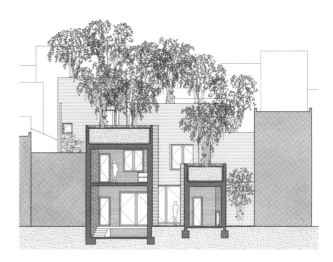

One Central Park

Jean Nouvel avec PTW Architects et Patrick Blanc / Sidney, Australie

La plate-forme en porte-à-faux monumentale qui tombe du bâtiment principal à une hauteur de 100 mètres accueille un jardin aérien, sert de brise-soleil et supporte un héliostat motorisé aux dimensions exceptionnelles : pilotés par un logiciel qui suit les déplacements du soleil, les miroirs de l'héliostat renvoient les rayons solaires vers la zone ombragée de l'immeuble principal. Les passants apprécient sa lumière mouchetée, évoquant une promenade sous des frondaisons.

« La végétation est un élément à part entière du vocabulaire architectural », déclare Jean Nouvel en évoquant One Central Park, le premier projet construit dans le nouveau quartier qui marque la transition entre le tissu dense du centre des affaires de Sidney et la banlieue résidentielle de Chippendale, où la hauteur des constructions est limitée. Se déployant sur une ancienne friche industrielle, ce programme de rénovation urbaine s'articule autour d'un petit jardin urbain de quartier. La solution de Nouvel démultiplie la surface du parc avec les façades couvertes à 50 % de végétation — soit plus de 35 000 plantes — des tours résidentielles de 116 et 64,50 mètres, pour « prolonger l'espace vert dans le ciel » et, au bout du compte, battre le record du mur végétal le plus haut du monde à cette date.

Les énormes panneaux verts sont issus de la technologie mise au point par le botaniste français Patrick Blanc, spécialiste des jardins verticaux, qui enracine les plantes dans des couches de feutre. D'autres végétaux peuplent un système de bacs horizontaux sur une longueur de 5 km. Ces bacs prodiguent à eux seuls une ombre permanente qui, d'après le journal du Council on Tall Buildings and Urban Habitat, réduisent d'environ 20 % la température dans les appartements, tandis que les feuillages la font baisser de 20 % supplémentaires. Les plantes convertissent le dioxyde de carbone en oxygène et renvoient moins de chaleur dans la ville, deux avantages majeurs par rapport aux persiennes en métal.

Waterloo Youth Centre

Collins and Turner / Sydney, Australie

Pendant plus de dix ans, Weave, une association de bénévoles qui s'occupe de jeunes défavorisés, a eu ses bureaux dans un ancien local municipal avec vue sur une piste de skate. Collins and Turner, une agence d'architectes de Sydney dirigée par Penny Collins et Huw Turner, a converti le bâtiment en un lieu de travail contemporain.

Ce projet de rénovation, qui se voulait solide et destiné à durer, avec un faible impact environnemental, a conservé et réutilisé des éléments du bâtiment en place partout où cela était possible.

Les formes angulaires de la construction font penser aussi bien à un origami qu'à un avion furtif. Les autres sources d'inspiration des architectes, de leur propre aveu, sont « les forts construits par les Celtes au pays de Galles à l'âge du fer, la volière du zoo de Londres réalisée par Cedric Price et le travail de John Krubsack, un naturaliste américain qui s'est livré à des expériences sur la culture et les greffes pour façonner le végétal : il est l'auteur du premier fauteuil qui a poussé au lieu d'être fabriqué. »

L'élément le plus frappant est sans doute la canopée en acier avec sa silhouette en étoile, qui non seulement recouvre le jardin aménagé sur le toit, mais sert de tuteur à une foule de grimpantes et d'espèces fruitières. Afin de réduire la taille apparente de la construction, les architectes l'ont en partie enterrée dans le sol en modifiant çà et là, non sans finesse, le niveau du paysage. Peu à peu, les plantes vont déborder du dais et de la grille extérieure. L'agence Collins and Turner espère alors que son œuvre s'effacera dans le parc qui l'entoure, pour « devenir un élément du paysage vert, abstrait et sculptural ».

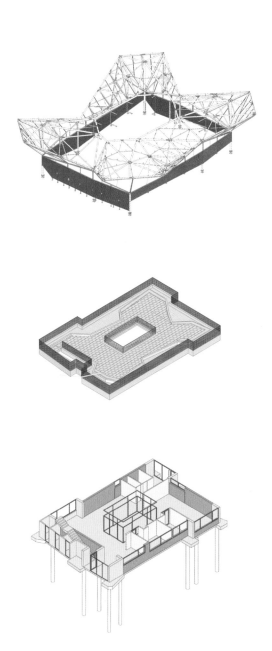

L'acier galvanisé résistant qui habille l'extérieur résolument urbain de la construction évoque des détails familiers des citadins, tels que garde-corps, glissières de sûreté, persiennes et grilles. L'intérieur baigné de lumière, flexible et fonctionnel, qui se cache derrière les façades à facettes en béton et en acier, s'organise autour d'une nouvelle cour centrale. Il est couronné par une canopée en acier autoporteuse, facile à démonter.

House K

Sou Fujimoto / Nishinomiya, Japon

Sou Fujimoto a renouvelé la typologie de l'espace vert pour cette maison d'un quartier résidentiel tranquille. Il a revisité la toiture aux avancées typiques de l'architecture japonaise traditionnelle et l'a transformée en une « zone de vie active » agrémentée d'un jardin. Ici, le traitement du toit l'assimile aussi bien à une extension organique de l'intérieur qu'à un aspect du paysage. À la façon d'une colline, il se soulève lentement du sol, tout en donnant forme aux espaces de séjour sous-jacents. La façade nord s'incline abruptement et les arbres plantés dans des bacs polygonaux, délibérément exposés aux regards, semblent flotter au-dessus du toit.

À la fois mur et toit, le plan incliné de 76,70 mètres surplombe le petit bosquet voisin et offre une vue panoramique sur les hauteurs boisées à l'ouest du quartier. Les environs immédiats, l'intimité de l'intérieur, la ligne d'horizon et la campagne au lointain se réunissent en une expérience riche et unique.

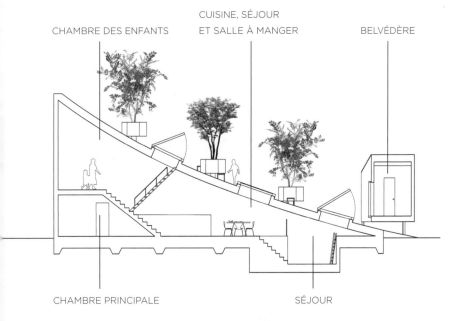

CHAMBRE DES ENFANTS · CUISINE, SÉJOUR ET SALLE À MANGER · BELVÉDÈRE

CHAMBRE PRINCIPALE · SÉJOUR

Avec House K, Fujimoto a cherché à rompre avec ce qu'il appelle une architecture « normale », qui séparerait l'intérieur et le jardin sur le toit, et à instaurer « une relation plus naturelle et géographique » entre eux. La topographie intérieure de ce projet sur trois niveaux comprend une cuisine, un salon et une salle à manger, un demi-étage accessible par un gradin et un séjour en contrebas, de l'autre côté de ce plan libre plongé dans une lumière douce. Le système de circulation « intérieur-extérieur » imaginé par Fujimoto emploie des échelles et des verrières zénithales qui s'ouvrent pour donner un accès direct au toit à chaque niveau. Les habitants peuvent passer du demi-étage au toit, faire quelques pas en suivant la déclivité du jardin et rentrer dans la maison à l'autre bout.

Un petit belvédère a été aménagé à l'extrémité inférieure. Il se joint aux quelques meubles fixés sur le toit en différents points de la pente pour profiter de ce jardin hors du commun.

Stone House

Vo Trong Nghia Architects / Dong Trieu, Viêtnam

Le plan en tore choisi ici par Vo Trong Nghia définit, autant qu'il est défini par eux, les modes de déplacement des habitants, un couple et ses deux enfants. À l'intérieur, quatre groupes de pièces donnent sur la cour ovale. Ils sont séparés par des « vides » où les membres de la famille peuvent se réunir. Ces vides, propices à une lumière et à une ventilation naturelles, relient en outre les jardins des cours extérieures et intérieures. Le bassin aménagé dans la cour rafraîchit naturellement les pièces.

L'allée qui s'enroule autour de la cour et monte jusqu'au toit végétalisé dessert toutes les parties de la maison. La cour et le toit forment un « jardin séquentiel » qui permet aux habitants de profiter de l'intérieur et de l'extérieur de l'habitation de manière fluide, naturelle et ludique. En se soulevant, la spirale du toit permet de jouer sur les hauteurs des plafonds et diversifie l'emploi des espaces. Dans le séjour, le plafond atteint ainsi presque 5 mètres, alors que les deux chambres posées l'une sur l'autre se partagent la même hauteur.

Ce projet fait honneur aux matériaux de la région, notamment sa pierre bleue (trapp) et ses bois durs. Les murs se composent de blocs de pierre trapézoïdaux, épais de 10 cm, dont l'appareillage alterné suit les courbes de la construction. Il en résulte une texture tridimensionnelle à l'origine de superbes effets d'ombre et de lumière.

The Mountain

Big / Copenhague, Danemark

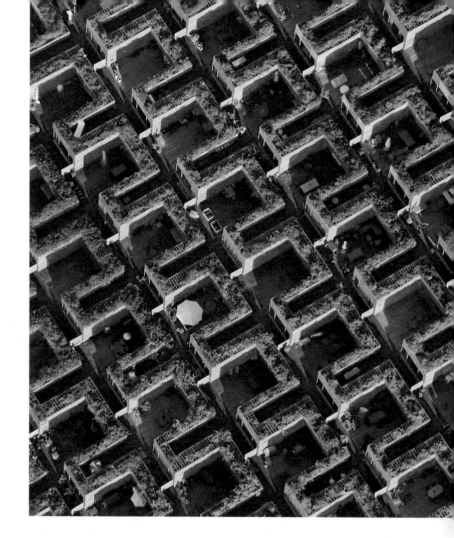

À vrai dire, la nature n'est pas précisément au cœur de cet ensemble de Bjarke Ingel. Les jardins en terrasse découlent plutôt de la démarche « alchimiste » de l'architecte danois. Prenant des ingrédients qui paraissent incompatibles à première vue, Ingel les réunit pour créer une symbiose qui aide chaque programme à trouver sa place idéale. Cette combinaison innovante est à l'origine de la valeur ajoutée de l'ensemble.

Le Mountain répond en fait au souhait du maître d'ouvrage de construire deux bâtiments séparés, l'un de 100 000 m² pour des logements, l'autre de 20 000 m² pour un parking. Il est situé à Ørestad City, le nouveau quartier émergent de Copenhague, à la lisière d'une banlieue typique.

Pour respecter la double
exposition exigée par
le code danois de
construction, les baies
qui donnent sur les cours
en L sont orientées
au sud et à l'ouest.
L'arrosage goutte à
goutte des jardins en
terrasse est assuré par
les eaux pluviales du
bâtiment recueillies dans
des citernes souterraines.

Ingel, dont la volonté était de satisfaire chaque partie prenante du projet, mais ne tolérant pas de compromis, suivit l'esprit plutôt que la lettre du cahier des charges. Au lieu de « juxtaposer une dalle standard d'appartements et un bloc de garage ennuyeux », pour reprendre sa formule, Ingel a transformé le parking en un piédestal incliné sur lequel il a bâti la partie résidentielle. Le résultat surréaliste, défini par Ingel comme « une colline de béton recouverte d'une fine couche de logements tombant en cascade du onzième au premier étage », allie les avantages de la vie en ville et de la vie en banlieue. Le Mountain, qui a la densité d'un immeuble de grande hauteur, offre à chaque famille une maison avec un jardin, une vue imprenable et une place de stationnement au même étage.

Tree Storey

Penda / Vijayawada, Inde

L'agence Penda, répondant à un promoteur immobilier porté sur l'innovation, a réussi à allier le sur-mesure et la série, à l'échelle d'un immeuble. Les architectes expliquent : « En cette époque de production en série et de conformisme dans le secteur de la construction, nous essayons des techniques modernes pour réintroduire un certain degré d'individualisme et de souplesse à l'intention des habitants d'une tour. Le type d'individualisme de celui qui bâtit lui-même sa maison. »

Penda propose ainsi, pour sa tour résidentielle, un système modulaire où l'ossature et l'infrastructure sont les seuls éléments fixes. Tout le reste est constitué d'accessoires qui viennent se brancher sur le réseau. Les habitants sont invités à personnaliser leur appartement en choisissant tous les éléments de la façade, les sols et les jardinières dans un catalogue de composants préfabriqués.

L'idée d'une tour modulaire découle d'un projet antérieur, un système d'étagères pour une nouvelle chaîne chinoise de cafés. Pour proposer à ce client des intérieurs flexibles et un peu d'air pur aux consommateurs dans les villes polluées, Penda avait imaginé une structure mince à garnir d'objets divers, notamment des plantes pour purifier l'air. Le projet de Vijayawada mise également sur la végétation dans l'espoir qu'un jour les plantes deviendront un élément essentiel de l'architecture, tandis que cette dernière passerait humblement à l'arrière-plan.

Les « modules végétaux » jouent des rôles multiples dans la tour Tree Storey. Ils tiennent lieu de cloisons et d'écrans pour extérieurs préservant l'intimité dans les appartements en grande partie en plan libre, servent de brise-soleil et purifient l'air, en particulier les plantes déployées sur la façade, où les architectes recommandent des espèces ayant une forte capacité d'absorption des polluants.

Hualien Residences

BIG / Hualien, Taïwan

Cette ancienne région industrielle sur la côte est de Taïwan s'est muée en destination touristique. Si le promoteur a l'intention d'accompagner cette station balnéaire de la génération à venir d'équipements tout aussi futuristes pour les studios de « Huallywood » actuellement en chantier, les architectes de BIG — à qui a été confiée la construction des Hualien Residences — ont de nouveau confirmé qu'ils étaient capables de « transformer des rêves surréalistes en espaces habitables ». Situé à quelque 5 km de la ville de Hualien, l'ensemble s'inspire du paysage, une chaîne montagneuse à l'ouest et le littoral à l'est. L'équipe de Bjarke Ingel a choisi « de s'exprimer par des bandes vertes » pour édifier un « paysage montagneux » de plus de 600 appartements pour les vacances et une foule de projets complémentaires, des boutiques aux galeries d'art.

Le concept « topographique » se manifeste par une série de collines et de vallées formant des « passages pour les piétons et des raccourcis entre les immeubles ». Les volumes, des tranches verticales, sont vitrés sur toute leur hauteur et leur décalage garantit une généreuse quantité de lumière du jour à chaque logement. Grâce à l'orientation choisie, les habitations profitent au maximum des vues mais bénéficient d'une ombre suffisante dans ce climat chaud et humide. Les toits végétalisés se font l'écho des montagnes boisées et rafraîchissent.

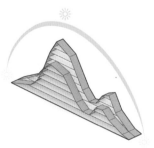

ORIENTATION DU SOLEIL

CIRCULATIONS PIÉTONNES

VUES INTÉRIEURES

Stacking Green

Vo Trong Nghia Architects / Ho Chi Minh-Ville, Viêtnam

Cette habitation qui s'élève sur un terrain de 4 mètres de large et de 20 mètres de long est typique des « maisons tubulaires » longues et étroites d'Ho Chi Minh-Ville. Sa conception moins classique tient à une sorte d'acupuncture architecturale, censée adoucir un environnement agressif, d'où les espaces verts ont été chassés par les nouveaux projets immobiliers. Ce projet de Vo Trong Nghia donne une forme architecturale à « l'une des habitudes favorites de ses clients de s'entourer de végétation et d'en disposer sur les façades ». « Même dans la ville modernisée », explique Nghia, « les gens, inconsciemment, désirent un substitut de forêt tropicale luxuriante. »

Les façades à l'avant et à l'arrière sont composées de bacs, faisant office de persiennes horizontales surdimensionnées. Cette présence du végétal protège contre la lumière directe du soleil, le bruit et la pollution, contribue au bien-être des habitants et garantit leur intimité en douceur. La combinaison des façades perméables, de la cour et du plan libre — des astuces bioclimatiques héritées des maisons vietnamiennes traditionnelles — fait une large part à la ventilation naturelle. Malgré le climat éprouvant, la famille se sert très peu de la climatisation, ce qui lui vaut une facture d'électricité remarquablement basse pour cette maison de quatre étages et de 215 m².

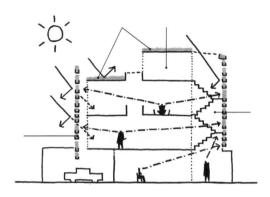

Les façades avant et
arrière disparaissent sous
les bacs qui occupent
toute leur largeur et sont
construits en porte-à-
faux. D'un bac à l'autre,
la hauteur dépend de
la taille des plantes, qui
oscille entre 25 et 40 cm.
L'irrigation automatique
est alimentée par une
citerne recueillant les
eaux pluviales.

L'Immeuble qui pousse

Édouard François et Duncan Lewis / Montpellier

Cet immeuble résidentiel à Montpellier offre une interprétation contemporaine du vieux mur de gabions méditerranéen et surtout de son aptitude à donner une « peau vivante » aux architectures. Les murs sont constitués de ces cages de grillage métallique, remplies de pierres brutes. Les interstices ont été garnis de sacs de terre enrichie d'engrais bio et contenant des graines de plantes grimpantes variées.

Plus de dix ans après son achèvement, l'immeuble est resté fidèle à la climatisation passive. Édouard François estime que c'est là sans doute le seul projet résidentiel de qualité de la ville à se passer de climatisation. Son installation avait été prévue, mais l'architecte réussit à convaincre les habitants d'attendre un an pour voir si elle était nécessaire. Il savait que les plantes jaillissant des murs, grâce à l'irrigation automatique, réussiraient à rafraîchir les lieux.

Groupe scolaire des sciences et de la biodiversité

Chartier Dalix / Boulogne-Billancourt

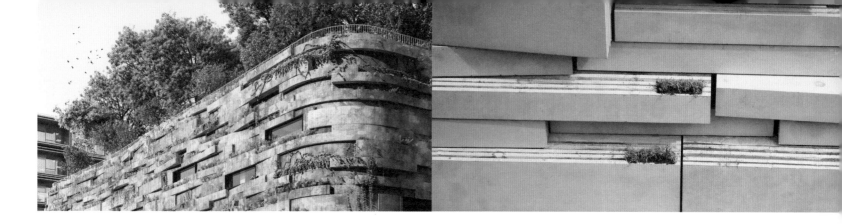

Pascale Dalix et Frédéric Chartier traitent les bâtiments comme des paysages architecturaux sophistiqués. Cette école, vouée selon le plan directeur à devenir le cœur vert d'un nouvel îlot résidentiel, ne fait pas exception à la règle. L'école et le gymnase sont regroupés dans un même édifice en strates successives. Plus élevés, les immeubles voisins bénéficient de la vue sur le toit couvert de végétation. Les trois terrasses supérieures accueillent une prairie, des buissons et une petite forêt et leurs connexions sont fluidifiées pour accueillir les visiteurs et, ce qui est tout aussi important, créer un « corridor écologique ».

Cependant, c'est son enveloppe ou « mur vivant » qui séduit le plus dans ce projet. Les architectes se sont donnés le plus grand mal pour le transformer en un habitat favorable aux plantes, aux oiseaux et aux insectes, invités à y vivre. Les blocs de béton préfabriqués plus ou moins profonds peuvent ainsi héberger des nids, des végétaux et des chauves-souris pipistrelles. Sur certains blocs, on note des rainures qui servent à évacuer les eaux de pluie et évitent à la façade de se dégrader.

Chambre

de Commerce et d'Industrie

Chartier-Corbasson Architectes / Amiens

Ce projet ne se serait pas satisfait
d'un mur végétalisé traditionnel,
qui nécessite une surface verticale.
Un système sur-mesure a dû être
créé pour cette façade : des bacs
rectangulaires standards montés sur
une superstructure, constituée de
tubes et de rails de métal, raccordés
par des joints spécialement conçus
pour ce projet. C'est là le secret
de cette forme irrégulière.

Au fur et à mesure que la ville et la
nature se mélangent plus intimement,
selon l'architecte Thomas Corbasson,
il devient excitant et même nécessaire
« d'artificialiser la nature et de naturaliser
la ville. » Ayant remporté le concours pour
la rénovation et l'extension de la Chambre
régionale de Commerce et d'Industrie de
Picardie, à Amiens, son agence a choisi
pour point de référence un parc voisin,
et non l'hôtel particulier de style Art
nouveau où se trouvait la Chambre de
Commerce auparavant. La façade sur cour
de la nouvelle aile se fond dans le paysage
existant et ses roches artificielles. Ses vastes
baies semblent avoir été découpées dans
la masse verte.

Comme le parc disposait déjà d'un
système d'irrigation et de gestion des eaux,
il suffisait de raccorder la façade verte
au circuit. Les aspects techniques de la
couverture de cette façade irrégulière et en
trois dimensions avec une couche continue
de végétation ont présenté nettement
plus de difficultés. Les architectes, avec
les consultants en ingénierie de BETOM,
ont mis au point une solution modulaire
low-tech, tout à fait susceptible d'être
utilisée pour d'autres géométries complexes.

Torque House

Mass Studies / Gyeonggi-do, Corée du Sud

La partie supérieure de cette maison où vit une famille de quatre personnes — un bâtiment « linéaire » selon le plan local d'urbanisme — est légèrement inclinée et galbée afin de mieux faire entrer la lumière du jour. Elle répond aussi au virage qui précède la façade principale. « Tout comme la rivière polit les pierres coupantes et les transforme en galets, le mouvement des courbes agit de même sur la construction rectangulaire », déclare Minsuk Cho, architecte principal de l'agence Mass Studies, qu'il a fondée en 2003. Devant relever le défi d'une maison familiale avec deux ateliers — l'un pour un ingénieur son, l'autre pour sa femme artiste —, Cho a laissé les différentes fonctions intérieures déterminer en grande partie la forme et l'aspect des façades. L'atelier d'artiste au rez-de-chaussée, abrité des distractions du dehors et éclairé juste par une mince bande de fenêtres, et le studio d'enregistrement insonorisé situé au-dessus, soulignent l'apparence très austère de la maison. Pour compenser, il a été décidé d'éviter les matériaux « excessivement spartiates » pour le revêtement extérieur. Après de longues délibérations, un paysagiste a suggéré d'essayer le Moss Catch System, un géotextile censé rendre présentables les murs de soutènement, comme l'explique Cho. Peu à peu, les mousses ont recouvert les façades avant et arrière de Torque House, réaffirmant le concept de son effacement dans le paysage.

Deux espèces de mousse, aussi bien adaptées à l'exposition nord que sud, garnissent le Moss Catch System sur les façades avant et arrière. L'agence de paysagisme qui a importé ce géotextile japonais ne l'avait jamais utilisé comme matériau de finition. Il lui a fallu également aider les architectes à résoudre plusieurs problèmes techniques, notamment l'installation d'un système d'arrosage.

Boutique
Ann Demeulemeester

Mass Studies / Séoul, Corée du Sud

Ce bâtiment est tapissé d'une plante vivace couvre-sol (*Pachysandra terminalis*) plantée dans des poches de géotextile. Sur toute la façade sur rue, les tuyaux d'irrigation forment une trame de 40 x 40 cm. Un chéneau dans la partie inférieure recueille l'excédent d'eau. L'arrosage automatique s'adapte au climat saisonnier et il est possible de remplacer séparément les panneaux modulaires, si nécessaire.

Pour ce quartier résidentiel où depuis peu les boutiques de luxe et les restaurants branchés ouvrent à un rythme effréné, Minsuk Cho et son agence Mass Studies, de Séoul, ont imaginé un bâtiment intégrant toutes ces composantes : le magasin phare de la styliste belge Ann Demeulemeester au rez-de-chaussée, un restaurant sur le toit-terrasse et un concept store au sous-sol.

Cho, qui désirait que ce haut lieu de la mode puisse aussi bénéficier à la communauté locale, a cherché à introduire le plus possible de nature sur le terrain de 378 m², situé dans un quartier de faible hauteur et très construit. Les architectes se sont associés aux paysagistes de Garden in Forest et de Vivaria Projects pour concevoir un environnement où l'intérieur part à la rencontre de l'extérieur, où les éléments naturels et artificiels « s'amalgament au lieu de s'affronter ».

La façade recule pour accueillir une place de stationnement puis repart en avant pour signaler l'entrée du restaurant et du concept store. À l'exception des baies arrondies, elle est entièrement couverte d'un tapis végétal. Celui-ci est resté intact depuis l'achèvement du bâtiment en 2007.

Une haie de bambous délimite le terrain sur les trois autres côtés. Les colonnes de la structure porteuse se fondent dans le plafond aux formes organiques pour se déployer en vastes ouvertures cintrées qui assurent une transparence totale à l'intérieur.

La haie sert d'écran et protège la construction de la rue, mais procure aussi une sensation d'intimité. Grâce au vitrage généreux, ces écrans de bambous sont visibles même de l'autre extrémité.

Il existe un autre jardin, enterré à 5,50 mètres de profondeur. Ce qui commence comme un étroit escalier blanc conduisant au sous-sol s'élargit pour devenir une caverne tapissée de mousse. Ses ouvertures sur l'extérieur renforcent les échanges entre intérieur et extérieur de cet « organisme » architectural synthétique.

Le Moss Catch System a été utilisé sur les murs incurvés du sous-sol, dont les ouvertures situées à l'avant et à l'arrière assurent une ventilation naturelle. L'éclairage artificiel et un système de brumisation permettent à la mousse de s'épanouir pleinement.

Flytower & Cunningham

Ackroyd & Harvey / Londres et Derry, Royaume-Uni

Les plans verticaux engazonnés constituent la signature des artistes anglais Heather Ackroyd et Dan Harvey, qui étudient les « processus de germination, de croissance, d'érosion et de décomposition ». Les graines, enfoncées dans une couche d'argile molle étalée à la main, commencent à germer, puis transforment le mur ou toute autre surface verticale en une peau vivante de gazon vert. Parfois, Ackroyd et Harvey emploient l'herbe comme du papier photographique. Exposés à des degrés variables de luminosité, les brins produisent plus ou moins de chlorophylle. La palette de verts et de jaunes qui en résulte est une excellente réplique des nuances de gris d'une photographie.

Les « manteaux herbeux » qui habillent différents bâtiments appartiennent à une autre série de travaux. En 2007, Ackroyd et Harvey ont engazonné les murs en béton du National Theatre, l'une des icônes architecturales de Londres (ci-dessus et page ci-contre, en bas), et signé là leur Fly Tower énorme et énigmatique. En 2013, la Void Gallery de Derry, en Irlande du Nord, les a conviés à essayer leur technique sur l'ancienne caserne Cunningham à Ebrington (page ci-contre, en haut et page suivante), ce qui a transformé le bâtiment abandonné en un lieu « temporel et vivant ».

Le travail d'Ackroyd et Harvey déborde souvent sur la recherche scientifique. Leur collaboration avec IGER (Institute of Grassland and Environmental Research) a abouti à l'obtention de graminées "qui restent vertes". Les artistes ont ainsi pu réaliser des œuvres fondées sur la photosynthèse qui ont duré des années sans se dessécher. Leur emploi de variétés de graminées hybrides résistantes à la sécheresse sur la Fly Tower du National Theatre, à Londres, représente plus qu'une simple curiosité d'artistes, face à un climat de plus en plus erratique. De leur côté, les scientifiques d'IGER estiment qu'ils n'auraient jamais eu l'idée de certaines recherches sans les questions posées par Ackroyd et Harvey.

Expansion

Expansion

S'il est quasiment impossible de planter une véritable forêt dans un contexte urbain, il existe des moyens pour en procurer la sensation. Ce qui relève de l'évocation plus que de l'imitation selon Laurie Olin, paysagiste et cerveau de Bryant Park, un parc new-yorkais au succès retentissant. Au cours d'une interview avec la Cultural Landscape Foundation, Laurie Olin poursuit et décrit l'un des projets de son agence : un garage à étages entrecoupé de sortes de ravins qui assurent une ventilation naturelle et fragmentent l'énorme bâtiment. Dans ces interstices ont été plantés des séquoias (*Sequoia sempervirens*, qui a pour habitat naturel des vallées humides et ombragées), qui proposent aux usagers du parking un rendez-vous avec la nature.

Ce concept, qui associe une essence locale aux exigences pratiques du projet, ravive le sens du merveilleux du citadin. Il permet une rencontre directe et imprévue avec la nature, que l'on peut voir, sentir et toucher, à l'endroit où l'on s'y attend le moins.

De nos jours, les centres-villes ne laissent pas de place, ou très peu, à l'aménagement de parcs traditionnels. Par conséquent, les architectes et les paysagistes doivent trouver des solutions moins évidentes pour créer de nouveaux espaces verts en milieu urbain.

Les autorités madrilènes décidèrent un jour d'enterrer une portion du périphérique qui passait trop près du cœur de la vieille ville et organisèrent un concours international pour réaménager la zone située au-dessus du tunnel. Comme l'expliquent les architectes et paysagistes de West 8, le projet lauréat, et réalisé, qu'ils ont mis au point avec les agences d'architectes Burgos & Garrido, Porras La Casta et Rubio & A-Sala était le seul qui suggérait de « résoudre la situation urbaine exclusivement par un projet paysager ». À Tainan, sur l'île de Taïwan, l'agence d'urbanisme et d'architecture MVRDV envisage de remplacer un centre commercial laid et déserté par la clientèle par un lagon urbain vert et luxuriant qui resserrera les liens entre la ville et l'océan. À Washington, Olin et OMA se sont alliés pour transformer un pont routier hors d'âge, dans l'un des quartiers les plus défavorisés de la ville, en un espace de rencontre fabuleux, un « pont-parc » décomposé en zones d'activités variées et destiné à devenir un pôle de loisirs majeur.

Dans une étude réalisée à l'intention de l'Atelier international du Grand Paris (AIGP), qui réfléchit sur les stratégies d'avenir pour l'agglomération parisienne, les architectes Louis Paillard et Philippe Gazeau, en collaboration avec TER, un cabinet d'urbanistes et d'architectes, ont proposé une série de programmes de réhabilitation des espaces sous-exploités de la région, comme les emprises commerciales et les franges des infrastructures qui constituent une immense réserve foncière d'une grande valeur potentielle. L'un des participants avait proposé, pour les îles de la Seine, de percher des groupes d'unités d'habitation sur des pilotis, afin de peupler ces zones inondables. Le sol restant inoccupé, cette solution aurait permis à la fois de protéger les maisons contre les inondations et de créer de nouveaux paysages. Les auteurs du projet ont ainsi recensé 35 sites pouvant accueillir 150 000 habitants et « 400 hectares de biodiversité ». Les architectes avaient aussi pensé tirer parti des « îles » et des lisières formées par les intersections entre les voies ferrées. Avec un meilleur accès à la ville (dans laquelle ils se trouvent, en fait) 1 215 de ces terrains pourraient se métamorphoser en quartiers à usage mixte où des parcs, des jardins et des équipements protégeraient les immeubles résidentiels situés au cœur de ces nouveaux paysages.

Dans ce chapitre, nous étudions les solutions de collaboration imaginées par les architectes et les paysagistes pour réinventer les typologies, les pratiques et les moyens de ressentir la nature aussi bien que la ville. Parfois les plantes se sont emparées de la dimension verticale. Taketo Shimohigoshi a suspendu une création artistique végétalisée au-dessus du sol pour inciter les habitants d'un quartier très dense à regarder par les fenêtres des étages supérieurs (p. 73) et Stefano Boeri a installé des arbres sur les balcons d'une tour résidentielle pour planter une « forêt » de dimensions modestes dans une ville très bétonnée (p. 74). Quant à Édouard François, il empile des résidences secondaires au sommet d'une autre tour (p. 78). Ailleurs, des infrastructures délaissées et des friches industrielles seront réhabilitées. Les exemples vont d'une fonderie abandonnée à une voie ferrée aérienne, en passant par des projets plus radicaux comme une base sous-marine et un terminus souterrain de trams.

Le Jardin de la Diaspora

atelier le balto / Berlin, Allemagne

Dernière intervention venue compléter le Musée juif de Berlin, l'Académie W. Michael Blumenthal, à vocation éducative, accueille la bibliothèque et les archives du musée, des espaces pour des séminaires et des ateliers. L'architecte qui a signé ce musée, Daniel Libeskind, s'est emparé ici de l'existant, en l'occurrence un ancien marché aux fleurs séparé du bâtiment principal par la rue. Les trois cubes de guingois et bardés de bois qu'il a logés dans cette sorte de hangar correspondent à l'entrée, à la salle de conférence et à la bibliothèque. Ils évoquent des cageots, mais aussi l'arche de Noé. Un peu plus à l'intérieur, les visiteurs tombent sur un jardin intérieur où la palette végétale se fonde sur deux des principaux thèmes de l'Académie, la migration et la diversité. Lors d'une interview en 2012 pour le blog de la Biennale de Berlin, Cilly Kugelmann, qui était alors directrice des programmes du musée, raconta qu'il avait fallu renoncer à l'idée initiale d'un jardin biblique, dont la flore moyen-orientale n'aurait pas supporté le climat berlinois. « Le musée avait alors eu l'idée d'un "Jardin de la Diaspora" et envisagé des plantes utilisées pour les rituels des fêtes juives en Allemagne, des fruits se substituant aux offrandes bibliques et même des plantes ayant reçu des noms antisémites. »

L'atelier le balto a aménagé le jardin sur quatre « plateaux » en acier. Trois d'entre eux sont garnis de planches où sont cultivées des plantes « déracinées ». Le quatrième, un terrain d'expérimentation de concepts éducatifs, propose des éléments aussi variés que des cartes, des photographies, de la terre, des graines et des pots. Selon les paysagistes, le changement est une composante essentielle du projet, où « l'on peut voir les plantes à divers stades de leur croissance », tandis que « les planches variables favorisent l'émergence de constellations et de thèmes nouveaux ».

Le Jardin de la Diaspora, qui s'étend sur 900 m², est une sculpture paysagère composée de quatre plateaux en acier de 4 x 14 mètres, qui semblent flotter au-dessus du caillebotis. Disposés de biais les uns par rapport aux autres et séparés par des allées, les plateaux font écho au langage architectural expressif de Daniel Libeskind, l'auteur du musée. Les planches sont éclairées par des lampes de type basse consommation et lumière du jour.

FLEG Daikanyama

A.A.E. - Taketo Shimohigoshi / Tokyo, Japon

En vertu du code de construction local, les balcons sont obligatoires dans les immeubles d'habitation, même s'ils sont à peine utilisés dans ce quartier résidentiel surpeuplé en plein Tokyo. C'est ce qu'a pu constater Taketo Shimohigoshi, qui étudiait le terrain où un client lui avait demandé de construire un showroom surmonté de bureaux. Alors que des boutiques de toutes sortes animent la rue au niveau de la chaussée, dans les étages supérieurs la vue est bouchée, sans charme et sa contemplation depuis un balcon ne procure pas le moindre plaisir.

Le projet de Shimohigoshi pour FLEG Daikanyama fait la différence, non seulement pour ses propres habitants, mais aussi pour ceux des immeubles voisins. Deux murs blancs occultent les vues latérales disgracieuses et encadrent une cour qui donne sur une allée. En hauteur, plusieurs poutrelles s'élancent entre ces deux murs. D'en bas, elles ont l'aspect d'une œuvre d'art géométrique en métal poli ; vues des étages supérieurs, elles révèlent des bandes veloutées de mousse qui vire au vert tendre les jours de pluie. D'après Shimohigoshi, un simple coup d'œil sur la végétation suspendue à mi-hauteur dans un quartier très dense rend le citadin sensible au pouvoir de la vie et stimule son imagination.

Bosco verticale (Forêt verticale)

Stefano Boeri / Milan, Italie

Stefano Boeri décrit sa Forêt verticale comme une « architecture biologique », une alternative à une « démarche strictement technologique et mécanique de la durabilité environnementale ». Implantées dans le quartier en plein essor d'Isola, ancien bastion de la classe ouvrière coupé de la ville par la voie ferrée, ces deux tours résidentielles abritent assez d'arbres, d'arbustes et de plantes couvre-sol pour garnir plusieurs hectares de forêt normale. En fait, Boeri voit dans la « densification verticale de la nature » une solution, pour Milan ou ailleurs, au manque de place au sol pour les espaces verts. Qui plus est, ce modèle pourrait servir à contrer le mitage urbain dans les zones limitrophes des villes très peuplées : selon Boeri, chaque tour de sa Forêt verticale équivaut à 50 000 m² de pavillons de banlieue.

La Forêt verticale milanaise
se compose de deux tours hautes
de 80 et de 112 mètres, qui accueillent
480 arbres grands et moyens,
300 petits arbres, 5 000 arbustes
et 11 000 plantes vivaces et
couvre-sol. Autrement dit,
le programme de Stefano Boeri
fait rentrer deux hectares de forêt
et de végétation du sous-étage sur
une emprise urbaine de 1 500 m².

La mise au point du système horticole
de la Forêt verticale s'est étalée sur trois ans.
L'équipe des designers, dont faisaient partie
Emanuela Borio et Laura Gatti, responsables
du concept de paysage vertical, a collaboré
avec un groupe de botanistes pour choisir
les espèces adaptées aux emplacements
sur les balcons, mais aussi pour les répartir
au mieux en fonction de l'altitude et de
l'orientation. Elle a soumis les arbres, dont
certains devraient atteindre 9 mètres, à des
tests en soufflerie pour vérifier qu'ils ne
poseraient pas de danger une fois installés
dans les étages supérieurs. Par ailleurs,
les plantes ont démarré dans des pépinières
où elles ont pu s'habituer à leurs futures
conditions de vie.

En moyenne, Boeri a prévu deux arbres,
huit arbustes et quarante autres plantes
par habitant. Ce système, selon l'architecte,
« favorise la création d'un écosystème
urbain, d'un habitat pour les oiseaux et les
insectes ». D'après les premières estimations,
près de 1 600 oiseaux et papillons devraient
l'honorer de leur présence, ce qui laisse
espérer que la Forêt verticale sera l'un
des outils de la reconquête de la ville
par la nature.

Green Cloud

Édouard François / Grenoble, France, et Gurgaon, Inde

Dans le projet grenoblois Panache (ci-dessus), chaque appartement dispose d'une terrasse privative avec jardin sur le toit. Les meilleures configurations sont réservées aux logements dont l'orientation est la moins favorable : les occupants des étages inférieurs dont les fenêtres donnent au nord ont droit aux terrasses les plus hautes et au sud.

Fruit de l'imagination de l'architecte français Édouard François, le premier *Green Cloud*, prolongeant les appartements sur plusieurs niveaux au sommet d'un immeuble, sera réalisé sur le sommet d'une série de tours résidentielles de Gurgaon, en Inde. Situées à 125 mètres, c'est-à-dire à une hauteur où l'air est infiniment plus frais et où la climatisation est superflue, ces terrasses plantées d'arbres font office de résidences pour fin de semaine. Équipées d'une petite cuisine et d'une salle de bains, elles ne sont qu'à quelques minutes en ascenseur de l'appartement principal du propriétaire.

François a déjà développé un projet similaire pour une tour résidentielle à Grenoble (page ci-contre), ville aux hivers froids et aux étés chauds. Pour résoudre le problème de l'isolation thermique, l'architecte a renoncé aux balcons traditionnels, leur substituant ses « jardins dans l'attique » qui procurent aux habitants de ces appartements de taille modeste une surface supplémentaire de 35 m² où ils peuvent se détendre, recevoir leurs amis et profiter d'une vue dégagée.

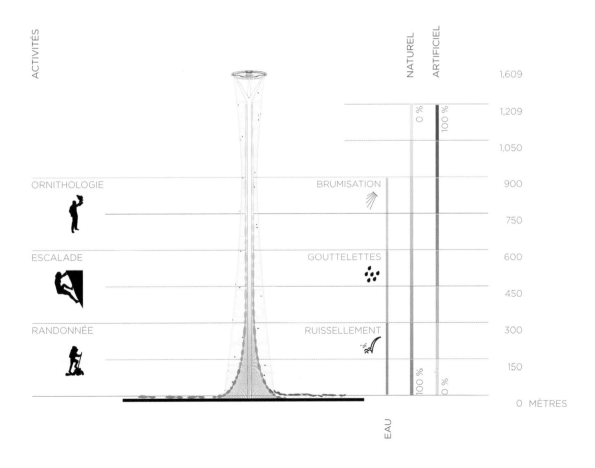

ACTIVITÉS

NATUREL ARTIFICIEL

1,609

1,209   0 %   100 %

1,050

ORNITHOLOGIE   BRUMISATION   900

750

ESCALADE   GOUTTELETTES   600

450

RANDONNÉE   RUISSELLEMENT   300

150

EAU   100 %   0 %

0 MÈTRES

Au-delà de l'expérience de « réalité augmentée », les capsules de circulation du Mile se prêtent à plusieurs activités liées à la nature, telles que l'ornithologie, l'escalade et la randonnée. L'architecte Carlo Ratti compare le domaine vert du Mile à un Central Park enroulé autour d'un fût haut d'un mile (1,6 km).

The Mile

Carlo Ratti Associati, Schlaich Bergermann Partner, Atmos

Deux fois plus haut environ que l'édifice le plus élevé à l'heure actuelle, le Burj Khalifa, et dépassant la Jeddah Tower, destinée à atteindre le kilomètre, le Mile est un projet de parc vertical culminant à 1 609 mètres, couronné d'une série de « plates-formes aériennes » et offrant des vues incomparables, assorties du frisson des grandes hauteurs. Des capsules multifonctions, équipées pour des réunions, des dîners et des concerts, feront la navette jusqu'au sommet de la tour.

L'agence Carlo Ratti Associati, les ingénieurs allemands de Schlaich Bergermann et les architectes du numérique du bureau anglais Atmos se sont penchés sur ce projet, dont le commanditaire est resté anonyme. Si l'on ignore encore le nom de la ville qui accueillera le Mile, de sérieuses études de faisabilité ont été réalisées sur les plans financier et technique. La solution structurelle, notamment, a été avancée par le cabinet d'ingénierie à qui l'on doit le stade olympique de Munich, construit pour les Jeux de 1972 par Frei Otto

et Günther Behnisch. Ce concept révolutionnaire et d'une incroyable légèreté s'articule autour d'un mât de 20 mètres de diamètre, mis en compression et ancré au sol par un réseau de câbles de précontrainte. Selon le magazine technique en ligne *New Atlas* : « Le fût de la tour aura un rapport hauteur/largeur de 80/1, infiniment supérieur à celui de la tour British Airways i360 à Brighton, au Royaume-Uni, qui est actuellement considérée comme la plus mince du monde. » L'édifice accueillera un écosystème naturel : de la base au sommet, il sera couvert de plantes où viendront vivre des centaines d'espèces animales. Ses auteurs imaginent « l'impact visuel et social de Central Park condensé sur l'emprise de la tour ».

The High Line

James Corner Field Operations, Diller Scofidio + Renfro, Piet Oudolf / New York, États-Unis

Cette voie ferrée aérienne, sauvée par une association à but non lucratif, est devenue un espace vert et un catalyseur puissant de la requalification urbaine du quartier. De 1934 à 1980, les trains de marchandises qui l'empruntaient passaient à 9,10 mètres au-dessus de la plus grande zone industrielle de Manhattan. Après l'arrêt définitif du trafic ferroviaire, la High Line — son nouveau nom — resta à l'état de ruine industrielle pendant près de 25 ans et se laissa envahir par une végétation spontanée, mais personne n'y avait accès, à part les explorateurs urbains les plus audacieux. L'aménagement du parc aérien, qui a attiré quelque deux millions de visiteurs dès la première année, se fit en 5 ans et trois phases. Cet espace vert, dont les méandres longent vingt-deux blocs, qui traverse des immeubles et enjambe des rues, est devenu l'une des principales attractions de New York. Il a inspiré toute une vague de projets de réhabilitation similaires dans d'autres villes du monde entier.

Ses auteurs sont l'agence new-yorkaise d'architecture Diller Scofidio + Renfro, les paysagistes de James Corner Field Operations et Piet Oudolf, le créateur hollandais de jardins. Leur décision la plus cruciale fut de refuser tout geste architectural pour, selon Ricardo Scofidio, « sauver la High Line de l'architecture ». L'équipe, au contraire, a cherché à préserver le meilleur de ce qu'offrait le site : la mélancolie d'une zone postindustrielle, l'atmosphère surréaliste d'un jardin secret au cœur de l'une des villes les plus trépidantes qui soient et les vues fabuleuses bien qu'inédites de New York sur toute la longueur de ce parc de 2,3 km. Un grand effort a été accompli pour optimiser l'expérience, en conservant des éléments d'origine tels que les rails et en dégageant les vues. Le dallage créé pour l'endroit, qui se laisse traverser par les plantes, estompe la limite entre le jardin et l'allée.

La High Line représentait
un véritable défi pour
un paysagiste. Exposée
à des étés torrides et
à des hivers rigoureux,
elle ne pouvait contenir
qu'une mince couche
de terre, et donc très peu
d'eau et de nutriments
pour les plantes.
Les créateurs ont
conservé une partie de
sa végétation spontanée
et se sont procuré des
espèces tolérant le stress
et provenant de milieux
tout aussi difficiles. Ils leur
ont fait subir une période
de test, ont gardé les plus
résistantes et remplacé
les autres. Le dallage
a été étudié pour retenir
de 80 à 90 % des
eaux pluviales.

The Lowline

Raad Studio, Matthews Nielsen, John Mini Distinctive Landscapes / New York, États-Unis

Le concept d'espace vert souterrain est en passe de révolutionner l'horticulture. Pour identifier les plantes susceptibles de vivre sous terre, des experts se sont réunis sous la houlette de Signe Nielsen, de John Mini Distinctive Landscapes et du Jardin botanique de Brooklyn. Ils ont étudié toute une liste de critères tels que la température, l'humidité, la lumière, l'arrosage, la couleur et la texture.
La topographie complexe du site test permet de répondre aux exigences plus ou moins grandes des végétaux en termes de luminosité.

Pendant que ShoP Architects réhabilite l'Essex Crossing à Manhattan, dans le Lower East Side, James Ramsey et Dan Barash ont des vues sur un terminus de tramways abandonné, situé sous Delancey Street, juste à côté. Leur ambition est d'en faire le premier jardin public souterrain du monde, la Lowline.

Ramsey, qui a étudié la construction des cathédrales et a travaillé en tant qu'ingénieur sur les satellites de la NASA avant de se lancer dans l'architecture, s'est servi de ses connaissances de la lumière naturelle et de l'optique de haut niveau pour mettre au point un aspect essentiel du projet. Il est l'auteur du système Remote Skylight (« Lumière du ciel à distance »), qui recueille la lumière solaire pour la végétation de la Lowline. Comme les plantes dépendent de la photosynthèse pour vivre, il était crucial de trouver un mode d'éclairage naturel sous terre. En effet, la lumière électrique, aussi efficace soit-elle, ne parvient pas à produire le spectre complet de la lumière solaire, ni son intensité.

Le Lowline Lab, inauguré fin 2015, a été une étape déterminante dans la genèse du projet. Ce laboratoire était installé dans un entrepôt plongé dans une pénombre équivalente à celle du site définitif. Fruit d'une coopération avec SunPortal, des experts en éclairage diurne par fibre optique, le Remote Skylight est une réussite. Le laboratoire a ainsi accueilli quelques dizaines de plantes, y compris des ananas et des fraisiers, soit une infime portion du futur parc, qui devrait s'étendre sur 5 570 m² et bénéficier d'une centaine de capteurs de lumière solaire.

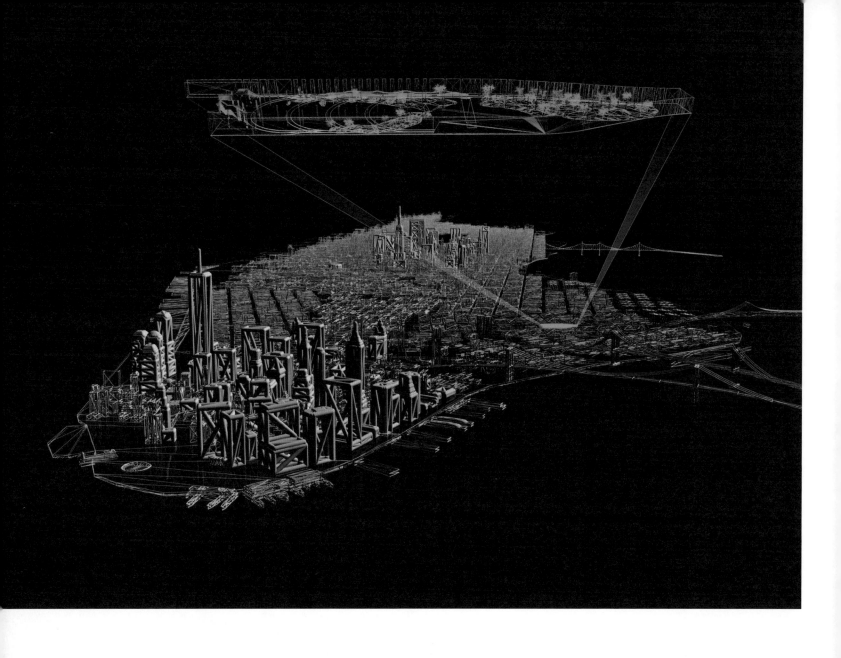

Le Remote Skylight, qui a subi une longue période d'essai au Lowline Lab (ci-contre à droite et ci-dessous), se sert de miroirs mobiles pour capter la lumière du soleil et de réflecteurs paraboliques pour la concentrer à près de trente fois son intensité normale. En même temps, les réflecteurs éliminent les rayons infrarouges pour éviter toute surchauffe du dispositif. Des systèmes optiques dirigent ensuite cette lumière condensée vers plusieurs points du parc souterrain. Là, une canopée en aluminium réfléchit et répartit le spectre lumineux complet dont dépend la vie végétale.

Asfalto Mon Amour

Coloco / Lecce, Italy

Pendant deux ans, une équipe d'architectes et de paysagistes de l'agence parisienne Coloco a organisé des ateliers d'automne et de printemps à Lecce, en Italie. Ces « laboratoires d'hybridation créative », pour reprendre l'expression de Coloco, ont réuni des paysagistes, des agriculteurs, des jardiniers, des agronomes, des acteurs, des danseurs et des cinéastes. Les journées, qui commençaient par des exercices de perception du corps, puis un brainstorming et des débats, se poursuivaient par quelques heures de travail physique intense, entre le chantier, le jardinage et les performances. Les participants, qui avaient pour mot d'ordre « Asfalto Mon Amour », brisaient l'asphalte pour transformer un parking de deux hectares en jardin.

Situé près des Manifatture Knos — une ancienne école de métallurgie reconvertie en centre culturel —, le parking était l'endroit idéal pour la stratégie d'« appel à l'action » de Coloco. Les fondateurs de Coloco, Nicolas Bonnenfant et les frères Pablo et Miguel Georgieff, fermement convaincus du pouvoir de l'engagement physique, mais aussi partisans du partage de la paternité d'un projet et des responsabilités, ont organisé des actions similaires dans plusieurs villes en France, en passant par Montpellier, Marseille, Paris et sa banlieue. Les habitants du quartier, mais aussi des officiels, des experts, des créateurs, des activistes et tous ceux qui voulaient participer, étaient conviés à venir embellir un coin de la ville. Une grande partie du travail de Coloco repose sur cette approche alternative de la transformation urbaine et de la régénération des espaces publics, qui consiste à réunir des gens autour de projets de taille modeste et leur démontre comment leur effort collectif peut aboutir à un réel changement. Les petits changements, mis bout à bout, mettent du temps à s'additionner pour produire un effet significatif... tout comme un jardin a besoin de temps pour pousser.

Le jardin du Tiers-Paysage

Coloco et Gilles Clément / Saint-Nazaire, France

Le « tiers-paysage », terme forgé par Gilles Clément, paysagiste, botaniste et écrivain, désigne tous les espaces délaissés, les friches et les bords de route ou les talus des voies ferrées, mais aussi les lieux inaccessibles et non cultivables ou encore les zones protégées, tels les parcs naturels. Échappant au contrôle humain, le tiers-paysage est un « espace privilégié d'accueil de la diversité biologique ».

Ce jardin se déploie sur le toit d'une ancienne base de sous-marins, vestige de la Deuxième Guerre mondiale, à Saint-Nazaire. Il a été créé de concert par Clément, Coloco et une équipe de volontaires, et se compose de plantes du tiers-paysage propres à l'estuaire de la Loire et d'une sélection d'espèces pouvant vivre sur un substrat sans terre.

Le jardin se subdivise en trois parties. Les 107 arbres du Bois des trembles poussent dans les anciennes chambres d'éclatement des bombes. À moitié caché dans ces chambres, le Jardin des orpins et des graminées, qui accueille des espèces capables de vivre sur le béton, est traversé par un canal. Enfin, voué aux semis spontanés, le Jardin des étiquettes occupe une fosse. Là, une fois sorties de la fine couche de terre, les plantes dont les graines ont été apportées par les oiseaux ou le vent sont identifiées et étiquetées.

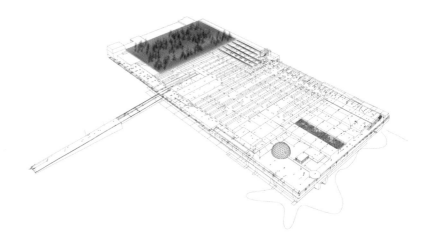

Jardin creux

Plasma Studio / Beijing, Chine

Beijing Garden Expo Park, implanté sur un ancien site d'enfouissement des déchets, est l'œuvre de toute une brochette d'architectes et d'artistes. Chaque équipe, qui s'est vue allouer une portion du terrain de 513 hectares, a été chargée d'imaginer un jardin qui offre un nouveau point de vue sur l'héritage culturel local et assure sa réhabilitation écologique, et cela dans un esprit de vulgarisation scientifique. Plasma Studio, l'une des équipes participantes, a trouvé dans un jardin creux (Sunken Garden) l'expression de son idée, celle d'une expérience contemplative harmonieuse issue de la fusion de l'intimité avec l'intensité.

S'inspirant des jardins classiques de Suzhou, inscrits au patrimoine mondial de l'UNESCO, Plasma en a repris des éléments clés tels que la roche, l'affleurement et la grotte

« pour voyager ensuite à travers l'espace et le temps jusqu'à l'image des jardins suspendus, et poursuivre jusqu'au concept d'une cour entourée de talus. » Il en résulte un paysage artificiel qui se laisse découvrir d'en bas, d'en haut et de l'intérieur. Cette parcelle de 1 000 m² est structurée par deux couloirs qui se coupent et guident les visiteurs au milieu d'une série de « paysages de poche » ou micro-jardins. L'un des couloirs donne l'impression d'un ravin flanqué de bacs en béton démesurés et de forme irrégulière, l'autre conduit le visiteur sur les parties en hauteur de ce jardin. Le labyrinthe des paysages miniatures ressemble à un archipel dans la mer ; certaines îles sont accessibles par des plans inclinés ombragés qui modifient les sensations éprouvées par le visiteur, non plus cerné par le béton et le Corten, mais abrité par la canopée végétale.

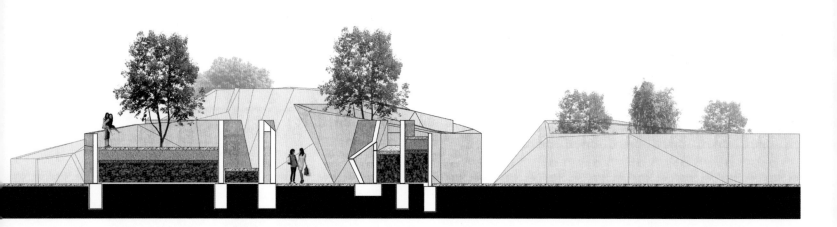

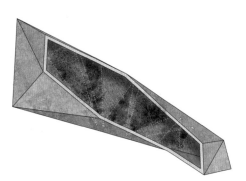

Les plantes du jardin poussent dans des massifs surélevés et entourés de béton, accessibles par des plans inclinés, ou se cachent dans des « poches » fermées : seuls de petits orifices percés dans les hautes parois permettent alors de les apercevoir.

Station d'épuration de Croton

Grimshaw Architects, Ken Smith Workshop, Rana Creek / Bronx, New York

Les terrains constructibles étant hors de prix, la pollution
élevée et les procédés de traitement des eaux compliqués
et coûteux, la municipalité de New York cherche des solutions
nouvelles et hybrides pour son eau potable. Les systèmes
naturels viennent compléter les infrastructures dites grises
et les fonctions ludiques évincent les industries. Alex Ulam
remarquait dans *Landscape Architecture Magazine* :
« Dans le passé, pour les projets de traitement des eaux, les
sociétés d'ingénierie se taillaient la part du lion. Aujourd'hui,
dans les équipes multidisciplinaires qui les ont supplantées,
les architectes paysagistes jouent un rôle essentiel. »

Construite par Grimshaw Architects et Ken Smith Workshop, la nouvelle station d'épuration de Croton dans le Bronx, à New York, passe pour être un projet exemplaire, ce qui se fait de mieux dans le genre. Croton, la plus ancienne des trois stations new-yorkaises qui approvisionne la ville en eau potable, satisfaisait en moyenne 10 % des besoins quotidiens. La nouvelle station comprend six étages souterrains couverts par un « toit vivant » de 3,6 hectares qui est aussi un practice de golf. C'est par ailleurs la plus vaste toiture végétalisée d'Amérique du Nord. Elle rend à la ville le terrain de golf municipal qui avait été sacrifié pour construire la station d'épuration. La création de ce paysage très technique est le fruit d'une collaboration entre Ken Smith et Rana Creek, une agence d'architecture paysagère écologique.

Étant donné les contraintes de charge pour l'immense toiture, qui imposaient une mince couche de terre, les paysagistes ont utilisé du polystyrène-choc pour sculpter les courbes douces de la topographie, qui cachent les bouches d'aération et les tuyaux d'évacuation. Les murs constitués de roches volcaniques (bluestone) et de gabions s'intègrent dans la topographie naturelle du terrain. Plusieurs pièces d'eau recueillent les eaux de pluie. « Toutes les eaux superficielles s'écoulent naturellement, par gravité, ce qui rend superflus les pompes, tuyaux et autres vannes », observe Grimshaw Architects. Et Ken Smith souligne que contrairement aux terrains de golf habituels, très portés sur les produits chimiques, ce practice sera entretenu exclusivement avec des moyens bio.

Le Jardin des Fonderies

Doazan + Hirschberger / Nantes, France

L'île de Nantes, ancien théâtre d'une construction navale florissante, a été durement touchée par la délocalisation de ses activités. Or, depuis 2000, cette friche industrielle de 350 hectares au cœur de Nantes a été reconvertie en un nouveau centre urbain. Le programme de réhabilitation tient à préserver son héritage industriel et à lui donner un nouveau sens. C'est ainsi que le jardin dessiné par Doazan + Hirschberger occupe les 3 200 m² subsistant d'une fonderie. Avant le départ des chantiers navals, on y fabriquait des hélices, entre autres pour le *France* qui fut le plus grand paquebot du monde pendant plus de quarante ans. Aujourd'hui, pièce maîtresse de la nouvelle place, l'ossature métallique de la fonderie se dresse au milieu des immeubles tertiaires et résidentiels.

Le projet paysager se décompose en deux typologies. Les graminées et les bambous du Jardin des fours s'assemblent autour des vieilles machines et parfois débordent sur la place. Ici, les paysagistes voulaient mettre en valeur les vestiges du passé en évitant toute connotation muséale. Les onze autres baies de la nef de 115 mètres sont dévolues au Jardin des expéditions, une collection de végétaux venus d'ailleurs, butins d'expéditions scientifiques entrés en Europe par la façade atlantique. Leur intention, expliquent les créateurs, n'était pas d'aménager un jardin botanique, mais de réunir en un même lieu les plantes "voyageuses" — rhododendrons, hortensias, magnolias, camélias — qui, en dépit d'origines très lointaines, ne nous paraissent plus exotiques parce qu'elles font désormais partie de notre environnement.

Le jardin a repris non seulement l'ancien squelette métallique de la fonderie, mais aussi plusieurs éléments du passé industriel du site : fourneaux, rails, pont-grue et les fosses de moulage de la fonderie, aujourd'hui transformées en roselière. Une couverture en polycarbonate transparent, percée de nombreuses ouvertures, est venue se poser sur la structure nue. Elle protège de la pluie, ce qui convient aux plantes habituées à des climats nettement plus chauds et confère au jardin « une atmosphère singulière et unique ».

Parc MFO

Burckhardt + Partner, Raderschall Landschaftsarchitekten / Zürich, Suisse

Ce projet, autre version du jardin vertical, a été pensé par deux agences suisses d'architecture paysagère, Burckhardt + Partner et Raderschall. Son enjeu était la réhabilitation radicale d'une ancienne zone industrielle dans le nord de Zürich. Le nouveau quartier à usage mixte a pour nom Neu-Oerlikon. Le plan directeur prévoyait plusieurs petits espaces verts, des lieux de détente mais aussi des repères pour faciliter l'orientation.

Situé sur un terrain où se dressaient jusqu'en 1999 les usines Maschinenfabrik Oerlikon (MFO) — à une époque, le premier employeur de Zürich —, le parc MFO prend la forme d'une place en trois dimensions, qui accueille également des événements. En fait, ce nouveau parc est une « pergola

urbaine » haute de 17 mètres, couverte de plantes à port étalé, une sorte de sculpture offerte à la déambulation. Selon Burckhardt + Partner, le feuillage abondant prête « une structure architecturale précise » à l'ossature en acier qui délimite ce jardin en atrium couronné par un solarium. Les interstices entre les doubles parois de l'ossature s'offrent à l'exploration de leurs escaliers, passerelles et balcons en porte-à-faux au-dessus de l'atrium. La silhouette de hangar et les proportions de cette « maison-parc » sont une allusion subtile mais claire au passé industriel de l'endroit, à l'époque où l'accès à cette sorte de Cité interdite était réservé aux employés de l'usine.

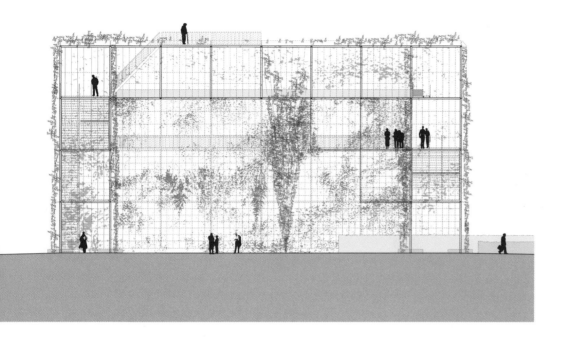

Structuré par une armature d'acier longue de 100 mètres et sur six niveaux, le parc MFO bat tous les records de hauteur dans la catégorie des pergolas. Dans ce paysage véritablement vertical, la végétation ne fait qu'effleurer le sol. Plus d'une centaine d'espèces de plantes grimpantes partent à l'assaut des câbles d'acier, mais chaque plante a le sien. Les espèces caduques rythment les saisons. En été, l'ossature disparaît complètement sous les feuillages. En automne, ils sont moins épais mais enrichissent la palette de leurs rouges et de leurs jaunes. Et la rigueur de la charpente d'acier se révèle en hiver.

Coexistence

Coexistence

L'architecte suisse Peter Zumthor, évoquant le jardin clos qu'il a imaginé pour le pavillon 2011 de la Serpentine Gallery, à Londres, exprime en termes éloquents sa passion du végétal : « Les plantes incarnent tout ce que j'aime avoir autour de moi : la présence, la personnalité, le caractère. Elles sont souples et pour cela fortes, mais elles parlent d'une voix douce, avec gentillesse. Parfumées et délicates, elles possèdent un mouvement, une couleur, une structure, une échelle et des proportions. Grandes par la forme, minuscules dans le détail, elles sont toujours un tout exceptionnel. » Christopher Alexander, architecte et théoricien du design, parlait avec autant d'enthousiasme de leur utilité dans *A Pattern Language* (1977) : « Les êtres humains ont besoin du contact avec les arbres, les plantes et l'eau. D'une certaine manière, qui est difficile à exprimer, ils sont plus eux-mêmes en présence de la nature, ils sont capables d'aller plus au fond d'eux-mêmes et, en quelque sorte, de retrouver des forces dans la vie des plantes et des arbres et de l'eau. » Dans les projets de ce chapitre, ce type de contact acquiert une envergure telle que les hommes et les plantes partagent littéralement le même espace.

Ce sont souvent de vibrants manifestes de l'architecture et du paysagisme. À Taitung, sur l'île de Taïwan, Marco Casagrande, assisté par une équipe de « jardiniers constructeurs » volontaires, a transformé une sucrerie abandonnée en une plate-forme de partage de savoir où l'humain cohabite avec le végétal (p. 148). Des pans de la toiture s'ouvrent sur le ciel, pour assurer un arrosage suffisant. À Beyrouth, Lina Ghotmeh a construit une tour à usage mixte où se condensent les traits caractéristiques du tissu complexe de la capitale libanaise (p. 115). L'arbre qui se dresse au milieu d'une cuisine-atrium nuance d'une note d'humour la nostalgie du vieux Saïgon qui émane d'une maison vietnamienne contemporaine de a21studio (p. 136).

Les résonances entre le cahier des charges du maître d'ouvrage et les idées de l'architecte aboutissent à des solutions étonnantes. Ainsi, la « demi-ruine » envahie par la végétation d'Andrew Maynard et de Mark Austin (p. 145) répondait au souhait du client (une famille) d'une maison axée sur les échanges entre intérieur et extérieur, à la consternation des architectes face à la « banalité » de tant de projets résidentiels actuels et au désir partagé d'une vie respectueuse de l'environnement. Dans le même esprit, la maison du Bain-Jardin de l'agence espagnole Husos a été bâtie pour une cliente qui voulait une grande salle de bains et de la place pour ses plantes innombrables. Les architectes, quant à eux, cherchaient à tirer un meilleur parti des petits patios et des puits de lumière si fréquents dans les appartements madrilènes.

La création d'espaces de transition et l'étude de leur potentiel psychologique et fonctionnel sont un autre thème qui revient souvent dans ces projets. À la lisière entre ville et jungle, Divooe Zein a construit une suite de « couches de transparence » dans un show-room et espace événementiel qui, s'il semble un abri sûr et tranquille, n'en est pas moins perméable et ouvert à la nature (p. 116). L'« espace pour les plantes » qui enveloppe le séjour de la maison à Moriyama (p. 140) n'est pas juste la réaction de l'architecte Makoto Tanijiri à une commande de « maison plus jardin » dans un quartier terne. C'est aussi une invite à coexister vraiment avec les plantes, pour les habitants qui ont meublé l'espace d'œuvres d'art et de livres et le traversent régulièrement pour se rendre dans les autres pièces. Dans le bâtiment d'enseignements mutualisés de Paris-Saclay, livré par Sou Fujimoto, Nicolas Laisné et Manal Rachdi (p. 124), l'atrium baigné de lumière et traité en paysage invite les étudiants à rentrer et facilite les rencontres interdisciplinaires si essentielles à l'avenir de la recherche et de l'enseignement.

Dans le *Livre du thé* (1906), le lettré japonais Kazuko Okakura rend hommage aux maîtres du thé qui ont créé des oasis de sérénité au cœur des villes et donnent à leurs hôtes l'impression d'être « dans une forêt, loin de la poussière et du bruit de la civilisation ». Aujourd'hui, des architectes tels que Fujimoto ou Junya Ishigami se penchent sur la limite entre le havre du foyer et la rue trépidante, entre l'architecture et le paysage, et remplacent une cloison par un plan incliné pour rendre cette lisière poreuse et nébuleuse. Dans son projet pour la Biennale de Venise et sa maison pour un jeune couple (p. 152), Ishigami a exprimé son désir d'un environnement dans lequel : « la nature est si proche qu'il n'est plus possible de la distinguer de l'architecture » (*Plants & Architecture*, 2008). Ce sera « une version nouvelle, plus inclusive de l'architecture, qui transcendera les concepts rigides de la cité. Des espaces subtils et souples qui, imperceptiblement, combleront le fossé entre l'architecture et les objets qui nous entourent. »

House Before House

Sou Fujimoto / Utsunomiya, Japon

En 2008, Tokyo Gas, le principal distributeur japonais de gaz naturel, invita les architectes Terunobu Fujimori, Toyo Ito, Sou Fujimoto et Taira Nishizawa à dessiner quatre maisons conceptuelles. Il leur était demandé de construire « une habitation primitive du futur », très liée à la nature et permettant à ses habitants d'éveiller chacun de leurs sens, en réaction aux appartements d'aujourd'hui, à leur uniformité croissante et à leur neutralité sensorielle.

Fujimoto, pour qui un chez-soi n'équivaut pas à une maison, proposa « un nouveau concept d'espace domestique ». Estimant qu'une habitation ne se limite pas à un espace intérieur, il divisa une maison classique en plusieurs parties qu'il réunit

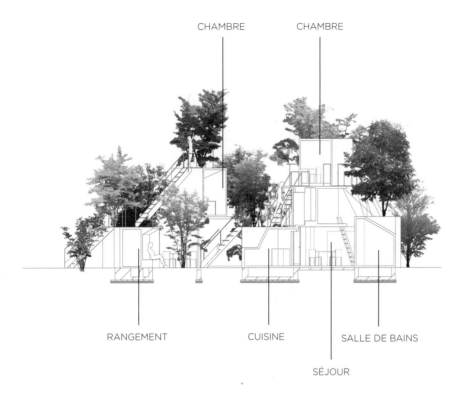

CHAMBRE   CHAMBRE

RANGEMENT   CUISINE   SALLE DE BAINS

SÉJOUR

selon un agencement complexe de « boîtes »
plus petites, assez spacieuses pour contenir
chacune une pièce. L'intérieur et l'extérieur
devenaient ainsi un seul espace continu.
Fujimoto planta des arbres sur ces volumes
et calcula avec précision les vides et les
connexions entre eux, afin d'organiser cette
habitation autour d'« espaces pour les
gens » plutôt que de pièces. Les habitants
peuvent toucher la cime d'un arbre qui
pousse juste à leurs pieds, gravir quelques
marches pour passer d'une pièce à l'autre,
comme s'ils escaladaient une colline, ou
rêver sur le toit de leur chambre sous un
« arbre flottant ». La maison s'assimile ainsi
à un village ou à un paysage qui croît de
façon organique au cours du temps.

Pour expliquer ce projet, Fujimoto
raconte avoir voulu retourner vers un
lointain passé, à l'époque où les maisons
se confondaient avec les forêts, et
reconstituer une sorte de « petite Terre
qui serait à la fois la plus primitive et la plus
futuriste des architectures. »

Stone Garden

Lina Ghotmeh – Architecture / Beyrouth, Liban

Lina Ghotmeh (de l'ex agence parisienne DGT) commente l'histoire tragique de Beyrouth, sa ville natale, à travers l'architecture et ce monolithe élancé, débordant de verdure, aux façades texturées et aux ouvertures de tailles variables. La violence a laissé des traces sur la peau des bâtiments de la ville, explique Lina Ghotmeh. Elle les a remodelés et les a creusés. Les squelettes en béton disparaissant sous la végétation changent notre perception de ce que sont des « ouvertures » de façades. Ces ruines — qui, par une ironie du sort, sont les seuls îlots de verdure de la ville —, avec les masses en béton des nouveaux immeubles d'habitation et les quelques maisons traditionnelles aux toits de tuiles qui ont survécu, forment le tissu de la capitale libanaise.

Le photographe libanais Fouad Elkoury a décidé d'enrichir ce mélange d'un nouveau bâtiment ayant un côté intemporel. Sur ce terrain qui est resté dans la famille se dressaient autrefois les locaux du premier fabricant de béton du Moyen-Orient, l'arrière-grand-père de Fouad. Plus tard, son père, le célèbre architecte libanais Pierre el-Khoury, y eut son agence. Le cadre est remarquable, notamment la zone portuaire qui est en train de se transformer en un pôle de créativité mais a su garder le charme âpre de son passé industriel. La tour de treize étages de Lina Ghotmeh comprend des appartements occupés par des jeunes exerçant des professions libérales et des amateurs de design, ainsi que par le Centre arabe pour l'architecture, une association à but non lucratif qui veut sensibiliser le public à l'architecture et à l'urbanisme. Comme si elle avait été taillée dans un pan de roche, elle se fait l'écho de l'ouverture de la ville et doit une large part de son identité à la végétation.

Les appartements tous différents de cette tour, où chaque étage bénéficie d'une vue sur la mer, possèdent tous des "jardins urbains". Ceux-ci possèdent des formes et des tailles variées, allant de la « Jungle », occupant deux étages, à la « Plante » apportant sa touche de verdure aux petites fenêtres, en passant par l'« Arbre » individuel, qui prodigue son ombre.

Siu Siu

Divooe Zein / Taipei, Taïwan

Selon l'architecte taiwanais Divooe Zein, l'exploration des relations entre les hommes, les plantes et l'environnement est au cœur de la création architecturale. Adossé à l'une des collines boisées de Taipei, Siu Siu ou le Laboratoire des sens primitifs, est emblématique de la démarche architecturale de Zein. Ce projet s'inspire en grande partie du Festival des arts des sens primitifs, qui a lieu à Shinano, au Japon, et réunit la culture traditionnelle et l'art contemporain. Siu Siu, qui accueille un show-room et plusieurs ateliers, des événements culturels et des espaces réservés à la spiritualité, a pour mission d'offrir un lieu de transition entre la capitale et la forêt.

« Nous avons tracé peu de plans à l'agence », explique Zein. « C'est sur le terrain que nous avons pris des décisions. » Consciente du peu de place exigée par les modes de travail actuels, la plupart des tâches s'effectuant sur un ordinateur portable, un mobile ou une tablette, l'équipe responsable du projet n'a réellement fermé que les zones qu'il fallait réellement séparer, comme le show-room, la réception et les toilettes. Elles prennent place à l'intérieur d'une structure en bois et en verre où subsistent quelques vestiges d'une vieille ferme. Son toit plat, une mezzanine réservée au yoga et à la méditation, se prolonge jusqu'à la colline. Le tout

est couvert par une sorte de tunnel transparent, ouvert aux deux extrémités et qui intègre non seulement les éléments construits, mais aussi l'espace qui les entoure, avec les arbres et les autres plantes.

Les lignes de ce tunnel haut de 8 mètres épousent la topographie complexe du terrain, sa structure rappelle les serres typiques de Taïwan. L'armature métallique légère est couverte d'un filet horticole qui protège du soleil, absorbe les ultraviolets et garantit une ventilation naturelle. Par ailleurs, le tunnel offre une protection fiable contre les intempéries et il y règne un microclimat agréable, et pour les occupants et pour les plantes. La lumière subtropicale, qui traverse le double filtre du feuillage et du grillage, restitue « l'ambiance poétique des peintures chinoises anciennes » et éclaire en douceur l'atelier et l'espace de méditation.

L'abri externe se compose d'une
armature de piquets en métal et
de deux épaisseurs d'un filet horticole
noir, qui procure un ombrage de
60 % à l'intérieur, entre lesquelles a
été placé un géotextile imperméable.
Cette structure facile à construire
et à faible impact a permis de laisser
en place plusieurs arbres.

Optical Glass House

Hiroshi Nakamura & NAP / Hiroshima, Japon

Un bassin dans le jardin principal sert de puits de lumière pour l'entrée, située au niveau inférieur. Lorsque le vent fait trembler le feuillage ou que la pluie ride la surface de l'eau, ces ondulations sont projetées sur le sol du hall.

Hiroshi Nakamura transforme une rue animée, encombrée de voitures et de trams, en toile de fond silencieuse pour une oasis urbaine. Afin de neutraliser le vacarme extérieur, l'architecte a utilisé des strates de filtres délicats qui assurent la tranquillité de l'intérieur. La façade principale est composée de six mille briques soigneusement moulées dans du verre de borosilicate d'une transparence extrême, avec des renforts invisibles pour stabiliser le mur. Elle cache l'intérieur depuis la rue autant qu'elle le révèle. Ces briques, qui selon l'heure du jour sont transparentes ou translucides, réfractent la lumière du soleil. Perçu comme une vision plus qu'il n'est exposé derrière le mur de verre, le jardin intérieur sans toit ouvre directement sur le séjour et peut être occulté par un rideau de mailles métalliques léger comme une plume.

D'autres jardins sont situés sur l'arrière de la maison. Le plan libre de la cuisine-salle à manger et du séjour laisse circuler l'air entre les jardins de devant et de derrière et procure une ventilation naturelle généreuse. À l'étage, la salle de bains principale fait face à une oliveraie. Isolée au rez-de-chaussée, la pièce tapissée de tatamis donne sur un autre jardin, planté de *Stewartia* à l'écorce brun-rouge et aux fleurs blanches semblables à celles des camélias.

Le salon-salle à manger du premier étage relie les jardins avant et arrière, et permet ainsi une ventilation naturelle de la maison.

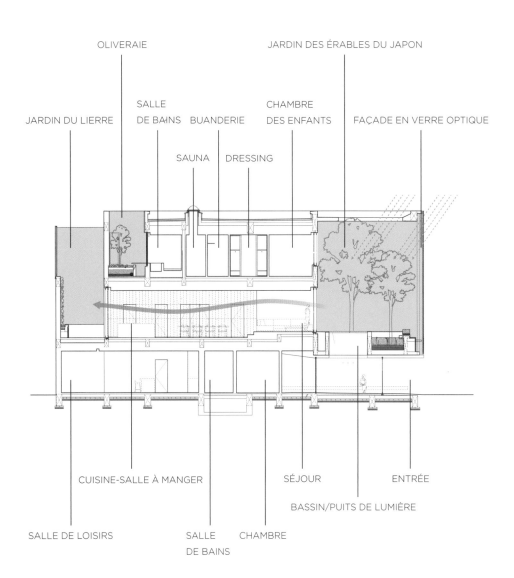

OLIVERAIE

JARDIN DES ÉRABLES DU JAPON

SALLE
DE BAINS

BUANDERIE

CHAMBRE
DES ENFANTS

JARDIN DU LIERRE

FAÇADE EN VERRE OPTIQUE

SAUNA

DRESSING

CUISINE-SALLE À MANGER

SÉJOUR

ENTRÉE

BASSIN/PUITS DE LUMIÈRE

SALLE DE LOISIRS

SALLE
DE BAINS

CHAMBRE

Bâtiment d'enseignements mutualisés

Sou Fujimoto, Manal Rachdi OXO Architects, Laisné Roussel / Paris-Saclay, France

D'ici 2020, Paris-Saclay, vaste conglomérat d'instituts de recherche et d'enseignement situé au sud de Paris, devrait accueillir dix grandes écoles, dix centres de recherche et trois universités. Le futur bâtiment d'enseignements mutualisés est une commande de l'École polytechnique, qui doit réunir six grandes écoles et instituts de recherche. Il s'inscrit dans la tendance aux collaborations interdisciplinaires, considérées comme l'avenir de l'innovation et dans lesquelles les architectes ont aussi un rôle à jouer. Ces derniers ont été chargés de construire les environnements qui stimuleront « les écosystèmes du talent, de la technologie et de l'information », pour reprendre la formule de Greg Satell, expert et chercheur informaticien.

Il n'est peut-être pas surprenant que le projet lauréat soit issu d'une collaboration entre trois agences d'architecture.

L'élément clé est la façade, conçue pour encourager les rencontres, les interactions et les échanges spontanés. Cet atrium baigné de lumière est formé par des circulations, des plates-formes et des escaliers reliés entre eux, dont les marches deviennent les sièges d'"amphithéâtres spontanés". Les arbres élancés et la façade entièrement vitrée, d'une hauteur de 17,80 mètres, relient le bâtiment à l'immense pelouse qui le précède, qui attire et guide les visiteurs vers le centre. Selon Sou Fujimoto, il se dégage de ce bâtiment une atmosphère générale qui « invite à entrer, à déambuler et à errer, à s'impliquer davantage dans ces espaces ». Manal Rachdi, troisième membre de l'équipe d'architectes avec Fujimoto et Laisné, est convaincu que ce projet générera des modes d'enseignement et d'étude novateurs et futuristes.

Au Bâtiment d'enseignements
mutualisés, les architectes expliquent
que les rencontres n'auront plus
lieu dans des couloirs, mais dans
des espaces animés, dans un cadre
baigné par une lumière douce,
avec des vues et des perspectives
changeantes et surprenantes.
Ce projet, qui accorde une
attention particulière à l'éclairage
et à l'acoustique, se veut un refuge
tranquille et confortable, capable
d'accueillir aussi bien de grandes
réunions que des groupes restreints.

Maison N

Sou Fujimoto / Oita, Japon

« L'architecture, déclare Sou Fujimoto dans son livre *Primitive Future* (2008), existe dans les modes de connexions entre extérieur et intérieur. » Agrémentée d'un jardin intérieur et, sous son enveloppe "nébuleuse" qui efface les transitions entre intérieur et extérieur, la Maison N n'est qu'une manifestation parmi d'autres de la « maison de l'avenir » telle que la voit l'architecte japonais. Quant à l'espace extérieur, il est façonné par l'accumulation des différents espaces intérieurs et de leur ouverture graduelle.

Cette maison, conçue pour un couple et son chien, se compose de trois cubes de béton blanc emboîtés les uns dans les autres : l'intérieur de l'un est l'extérieur du suivant. Le plus grand cube, que Fujimoto appelle la « coque », occupe toute la surface du terrain de 176 m² et accueille le jardin intérieur. La deuxième coque forme un espace plus "intériorisé" et la troisième, la clôture intérieure, définit le cœur de la maison : un séjour et une salle à manger de 18 m². Seules les fenêtres du volume intermédiaire sont vitrées. Le jardin est placé côté rue, tandis que la cuisine et la salle de bains occupent le même interstice, mais sur l'arrière. L'entrée, la chambre à coucher et la salle des tatamis se situent entre les volumes intermédiaire et intérieur.

La disposition bien étudiée des ouvertures protège l'intimité des habitants. Sinon, la construction est très ouverte sur l'extérieur et le plan est défini presque exclusivement par les limites des trois coques, sans séparations supplémentaires.

En tout, 44 fenêtres
et puits de lumière
rectangulaires percent
la triple coque de
la Maison N.
Leurs dimensions et
leur position offrent
une combinaison
optimale entre éclairage
naturel, vues et intimité.
La hauteur des cubes
gigognes va de
7,30 mètres (maximum
autorisé par le code
local de la construction)
pour la coque externe
à une échelle plus
humaine de 2,70 mètres
pour le cube intérieur.

CUISINE   SÉJOUR

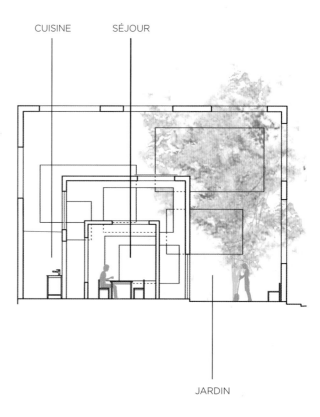

JARDIN

Bathyard Home

Husos / Madrid, Espagne

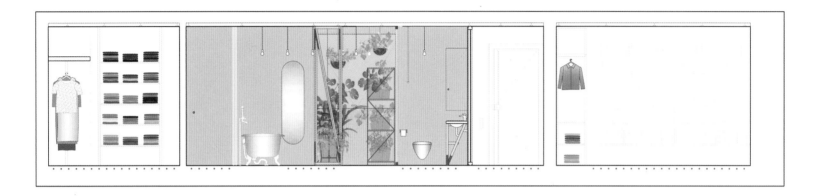

Conçu pour une femme, sa famille et ses plantes, le Bathyard Home leur offre un cadre de vie confortable dans un appartement à l'origine sombre et énergivore. Le projet, signé Husos, une agence d'architecture espagnole, transforme le rêve de la propriétaire (avoir une salle de bains spacieuse et garder une partie des plantes provenant de son ancien pavillon de banlieue) en une habitation économe en énergie.

Selon les architectes, le Bathyard Home leur a fourni l'occasion de donner une nouvelle « dimension climatique et sociale » aux types d'espaces secondaires (cours étroites et puits de lumière entre autres) qui sont fréquents à Madrid et dans d'autres villes méditerranéennes. Quelques modifications simples ont permis de tirer le meilleur parti de l'unique fenêtre orientée au sud de cet appartement de 130 m², maintenant entièrement tourné vers le sud. À l'origine, cette fenêtre donnait sur le patio, un couloir et un rangement, et ne servait donc à rien.

Les divisions de la « salle de bains-jardin » (« Bathyard »), page ci-contre, sont plus ou moins transparentes et la porte du dressing comporte un banc pliable, des astuces qui contribuent à moduler le niveau d'intimité et à transformer en lieu de socialisation la vaste salle de bains remplie de plantes. Le mur porteur du séjour possédait déjà un œil-de-bœuf (ci-contre à droite). Aujourd'hui, celui-ci établit un lien tant visuel que climatique entre la salle de bains, et le séjour.

Le nouveau plan intègre la fenêtre dans un espace unique, vers lequel convergent toutes les autres pièces. Les architectes, qui l'ont appelé « salle de bains-jardin », expliquent qu'il « génère un nouvel ''extérieur'' à l'intérieur du logement et offre le confort d'un chauffage et d'un éclairage passifs à tout l'appartement. »

Les fougères, les caoutchoucs et les marantas de la propriétaire peuplent une petite serre, dont la position stratégique au milieu de la salle de bain, entre deux zones humides (la baignoire et l'espace plus privé de la douche et des toilettes) leur assure une humidité suffisante. Cette serre, seul endroit de l'appartement à ne pas être chauffé par le sol, pour éviter un air trop sec, doit sa chaleur à son exposition au sud et au contact avec les autres pièces. Selon les architectes, la position centrale de la « salle de bains-jardin » facilite la ventilation transversale et permet de profiter du nouveau "paysage" orienté plein sud. Ils ajoutent que le plan astucieux et l'amélioration de l'isolation valent au Bathyard Home une température moyenne de 18 à 20 °C en hiver, et cela sans chauffage.

Maison de Saïgon

a21studio / Ho Chi Minh-Ville, Vietnam

Dernière arrivée de son îlot, la Maison de Saïgon (Saigon House) a pourtant l'air plus ancien que la plupart de ses voisines, mais cela tient au cahier des charges. La maîtresse d'ouvrage, Mme Du, originaire de Saïgon (devenu Ho Chi Minh-Ville en 1975), voulait une maison pour sa famille, qui serait en même temps un lieu de réunion avec ses frères et sœurs, où ils pourraient évoquer leurs souvenirs d'enfance et où leurs enfants pourraient se forger des souvenirs heureux pour l'avenir. Elle ne souhaitait pas une de ces maisons à l'occidentale, aujourd'hui à la mode au Vietnam, qui sont à son goût trop anonymes et ne font naître aucune émotion. Les architectes d'a21studio partageaient ses idées, de même que son amour des vieux toits "empilés" de Saïgon, de ses

balcons fleuris ouverts sur des cours intérieures, de la diversité des matériaux de construction et du désordre pittoresque de ses quartiers traditionnels. Tous ces éléments se retrouvent dans ce projet. Située sur un terrain long et étroit, la demeure compte quatre niveaux de pièces individuelles, sortes de petites maisons construites en porte-à-faux au-dessus de la cuisine-salle à manger où se rassemble toute la famille. L'arbre qui en occupe le centre renforce la sensation d'extérieur et rappelle les ruelles typiques de Saïgon. Les autres plantes qui poussent sur les balcons débordent des claires-voies en acier de la façade sur rue. Cette maison fait le bonheur des enfants, en particulier le filet tendu au-dessus de la cuisine-salle à manger, qui constitue un terrain de jeu passionnant.

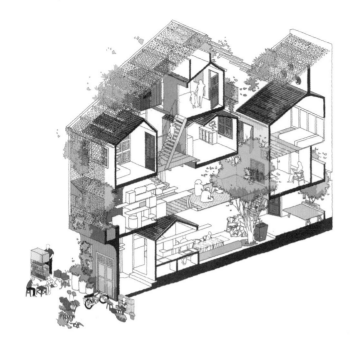

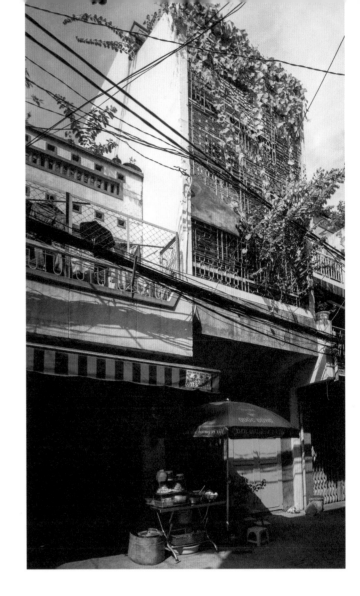

Le projet donne une deuxième vie
à des matériaux récupérés sur des
chantiers de démolition. Les pièces
sont autant de petites maisons
couvertes de toits de tuiles en pente
douce, un trait typique du vieux
Saïgon. La cuisine-salle à manger,
au rez-de-chaussée, a pris la place
de la cour traditionnelle.

Maison à Moriyama

Suppose Design Office / Nagoya, Japon

Un couple ayant deux enfants a demandé à Suppose Design Office de lui construire une maison avec un jardin sur un terrain d'aspect peu engageant. Son étroitesse empêchait d'aménager le jardin à côté de la maison et sa situation, au milieu de bâtiments de la zone industrielle de Nagoya, n'était vraiment pas favorable en termes de lumière et de vues sur l'extérieur.

Pour créer une ambiance agréable dans un cadre si peu accueillant, l'architecte Makoto Tanijiri a en conséquence installé le jardin à l'intérieur de la maison pour en faire une « pièce-jardin », insérée au mileu des autres. Ce jardin se révèle aussitôt à celui qui entre dans la maison, il entoure le séjour et la salle à manger et s'ouvre sur la chambre à coucher à l'étage par une série de puits de lumière qui fournissent la majeure partie de sa lumière naturelle à l'habitation. Tanijiri, en dressant ses plans, ne s'est pas contenté d'inviter l'extérieur à l'intérieur. Pour renforcer la relation entre "l'espace pour les plantes" et "l'espace pour les humains", il a traité le jardin comme une autre pièce — à tel point que la famille l'a meublé d'œuvres d'art, de livres et de divers objets.

Ce projet paysagé et lumineux, sur une emprise de juste 42 m², a livré une maison qui "respire" et change sans cesse.

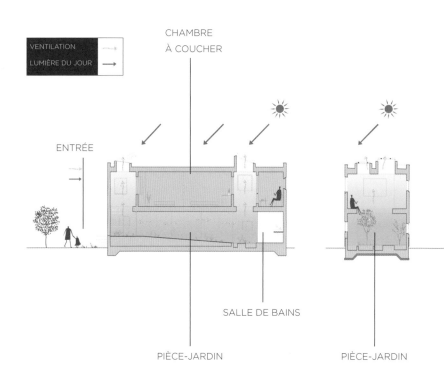

CHAMBRE
À COUCHER

ENTRÉE

SALLE DE BAINS

PIÈCE-JARDIN

PIÈCE-JARDIN

La "pièce-jardin", avec ses
puits de lumière, assure
l'éclairage naturel et la
ventilation de la maison.
En outre, elle enveloppe
les espaces de vie d'une
"couche atmosphérique"
et les maintient à des
températures agréables.

Cut Paw Paw

Austin Maynard Architects / Melbourne, Australie

Le jardin intérieur de cette maison doit son existence à la « relation forte entre l'intérieur et l'extérieur » exigée par le maître d'ouvrage. Les architectes, Andrew Maynard et Mark Austin, de Melbourne, l'ont prise très au sérieux. Chargés de rénover et d'agrandir une maison aux façades revêtues de clins, ils choisirent de la laisser inachevée. En effet, ils sont souvent déçus par le contraste entre le chantier et le même projet, une fois terminé. « Quand nous nous promenons dans la rue et tombons sur une habitation anonyme en construction, ses possibilités nous font rêver. Nous imaginons ce qu'elle pourrait donner. Un terrain est si riche de promesses quand il ne contient rien qu'une ossature de bois ou d'acier. C'est souvent à ce stade qu'une maison est la plus belle. »

Malheureusement, trop souvent, la demeure achevée n'exploite pas tout le potentiel que renfermait son squelette. En fait, pour les architectes, ce type de bâtiment « ne présentera de nouveau un intérêt que lorsqu'il commencera à s'effondrer et à se dégrader. » C'est une tout autre situation que celle de Cut Paw Paw. Entre la salle à manger et le studio de musique à l'autre bout, qui sont correctement couverts et bardés, toute la partie centrale est laissée à l'état d'armature et le jardin s'y est invité sans rencontrer d'obstacles. « C'est à la fois dehors et dedans, commentent les architectes. C'est à la fois une maison neuve et une ruine. »

Les architectes, pour répondre au vœu d'une maison durable exprimé par leur client, ont choisi de « faire plus avec moins » et gardé l'ancien au lieu de le remplacer, partout où c'était possible. À côté d'éléments écologiques tels que l'énergie solaire passive, une isolation généreuse et la collecte des eaux pluviales, ils ont aussi tiré parti de l'orientation, en déterminant les ouvertures et les zones à l'ombre d'après la trajectoire quotidienne et saisonnière du soleil. Les fenêtres et les portes sont disposées de façon à faciliter la ventilation naturelle.

Taitung Ruin Academy

Casagrande Laboratory / Taitung, Taïwan

C'est Marco Casagrande, architecte et artiste environnemental, qui eut l'idée de la première « Académie en ruine », une plate-forme spontanée de recherche interdisciplinaire à Taipei, sur l'île de Taïwan. En 2010, Casagrande et une équipe de volontaires, auto-proclamés « jardiniers constructeurs », firent revivre un bâtiment vide qui attendait d'être réaménagé. Ils supprimèrent les cloisons intérieures et les encadrements des fenêtres puis percèrent une série d'ouvertures circulaires dans le toit et les sols pour faire entrer l'air et la pluie. Entre 2010 et 2012, des groupes d'« académiciens squatters » partagèrent les lieux avec les végétaux plantés à chaque étage.

La Taitung Ruin Academy a été réalisée en 2014, dans le cadre de la Taïwan Design Expo. Les jardiniers constructeurs choisirent une sucrerie abandonnée pour explorer les savoirs locaux des peuples indigènes de Taïwan et les moyens de les appliquer à la réhabilitation écologique des villes. Ils installèrent le point central de leur académie autour des corps d'évaporation de l'usine, dans l'intention d'investir la totalité des locaux par la suite. Les espaces multifonctions destinés à des ateliers cohabitaient avec des jardins communautaires et des zones de plantations sauvages. La suppression de pans de la toiture permettait à la pluie d'arroser directement les surfaces plantées tandis que l'eau collectée sur la toiture restante servait à l'irrigation. Les espaces communs comportaient des foyers ouverts et les réunions, la gymnastique, la méditation et le repos se déroulaient dans une pièce couverte de tatamis. Au sol, les planches de bois et la terre encourageaient les visiteurs à marcher nus pieds.

Après l'exposition
de design, l'usine
abandonnée où se tenait
l'académie fut totalement
fermée pendant plusieurs
années, pour laisser la
végétation l'investir, avec
l'intention de la rouvrir
plus tard.

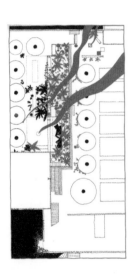

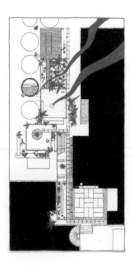

Extreme Nature

Junya Ishigami / Venise, Italie

Et si l'on concevait des bâtiments et des villes tels qu'il deviendrait presque impossible de déceler la limite entre nature et architecture ? Quand Junya Ishigami imagine pareil scénario, il ne s'intéresse ni à un concept inspiré par la nature, ni à un paysage technique, mais à l'opportunité de traiter sur un pied d'égalité des espaces « architecturaux » et « naturels ». Dans son livre *Small Images* (2012), il confie : « J'aimerais considérer la vie végétale non pas juste comme un élément du paysage, mais comme l'équivalent du bâti, par sa manière de former un espace. » En même temps, il cherche à conférer à l'édifice un « état de transparence ultime », juste à la frontière « entre l'existence et la non-existence ».

Ishigami a eu l'occasion d'exprimer ses points de vue dans son projet pour la Biennale de Venise 2008, où il représentait son pays. Avec l'ingénieur civil structure Jun Sato et le botaniste Hideaki Oba, l'architecte japonais a édifié quatre « serres » dans le jardin du pavillon du Japon. Comme il voulait que les structures et les plantes aient une « présence égale », il a dessiné des serres aux armatures fines, dont les parois et les toits étaient taillés dans un verre semblable à du cristal. Les colonnes étaient proportionnées aux végétaux. La végétation intérieure et celle de l'extérieur fusionnaient en un même paysage. Çà et là, des meubles dispersés dans le jardin estompaient la lisière entre paysagisme et décoration intérieure. Le commissaire Taro Igarashi a vu dans le résultat « la condition d'un espace unique », qui faisait percevoir aux visiteurs « la coexistence simultanée des plantes, des meubles, des édifices, du relief, de tous les éléments du dehors et du dedans ».

House with Plants

Junya Ishigami / Tokyo, Japon

Dans cette demeure où vit un jeune couple, Junya Ishigami a mis en œuvre plusieurs des idées formulées à la Biennale d'architecture de Venise 2008 (voir p. 152-153). À l'époque, il avait proposé une série de projets conceptuels où il revisitait la relation entre architecture et paysage, en les combinant pour créer ce qu'il appelle des « espaces ambigus », qui rendent « infiniment proches » l'intérieur et l'extérieur, mais « sans jamais les laisser s'assimiler ». Il avait ainsi construit une maison de vacances en ville et une garçonnière qui toutes deux avaient entamé un dialogue avec leur voisinage. Dans ce deuxième projet, le rez-de-chaussée (une pièce unique, d'une extrême transparence et à moitié en plein air)

abritait un « jardin intérieur » qui débordait sur une mini-forêt touffue occupant tout le terrain. Une petite chambre prenait place à l'étage, tandis que la salle de bains se trouvait dans une construction isolée.

Située à Tokyo, House with Plants suit un modèle très proche. Ce cube sur double hauteur, aux murs très fins et aux vastes baies vitrées semble clôturer une partie d'un jardin déjà existant. Des pas japonais ménagés dans la terre nue conduisent à un rangement dans le coin et le bloc cuisine, avec table, placard et réfrigérateur. Le séjour prend place dans un cube plus petit, contenu dans le premier, et dont le plafond est le sol de la chambre à coucher.

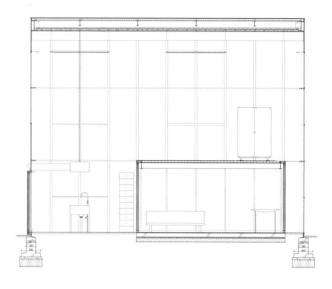

Atelier Tenjinyama

Takashi Fujino – Ikimono Architects / Takasaki, Japon

À Takasaki, au Japon, où les orages sont fréquents en été et un vent sec souffle par beau temps en hiver, Takashi Fujino s'est construit un lieu de vie et de travail que l'on pourrait qualifier d'architecture « primitive » et empirique. Le rapport constant avec la nature étant au cœur du projet, le bâtiment lui-même est assez rudimentaire : quatre murs en béton épais de 18 cm, dont aucun n'est tout à fait rectangulaire, ainsi que d'immenses baies vitrées et un plafond en verre incassable qui offrent juste ce qu'il faut de confort mais stimulent intensément tous les sens.

« Je construis une boîte architecturale pour vivre dedans, je pose une fenêtre pour me rapprocher de la ville et un toit transparent pour lever les yeux vers le ciel bleu, je plante des arbres qui prodiguent de l'ombre, j'aménage des plantations où les racines s'enfoncent et je rehausse le plafond pour laisser les arbres grandir », explique Fujino — le nom de son agence, Ikimono, peut se traduire par "être vivant". Toutes sortes de plantes vivent sur ce plan libre de 62 m² (seul un écran sépare le bureau de la partie habitée), sous un plafond haut de 8 mètres. Un eucalyptus citronné (*Eucalyptus citriodora*) tient la vedette. Vivre ici a fait comprendre à Fujino les effets bénéfiques des plantes sur le psychisme. Il se sent autant encouragé par la contemplation de la croissance végétale continue et ses changements que par celle d'un enfant apprenant quelque chose de nouveau chaque jour.

Takashi Fujino traite les plantes en matériaux de construction et les dispose en fonction des qualités qu'il souhaite conférer à l'espace. À l'Atelier Tenjinyama, le feuillage des arbres procure de l'ombre en été, l'eucalyptus citronné et le myrte citronné (*Backhousia citriodora*) embaument, tandis que le jasmin planté près de la cuisine parfume le thé. Les plantes poussent naturellement et tirent leur nourriture de la terre. Selon Fujino, elles prouvent leur reconnaissance par le plaisir procuré à la vue, à l'ouïe, au toucher, à l'odorat et au goût.

Performance

Performance

Ce chapitre s'intéresse aux projets utilisant les différentes possibilités qu'offre la nature pour améliorer la performance d'un bâtiment, voire d'un îlot entier. On en distingue trois types, qui parfois se recoupent : les projets bioclimatiques, les bâtiments favorisant la biodiversité et l'architecture "productive". Comme dans le reste du livre, nous nous intéresserons à la façon dont ces innovations façonnent le paysage urbain.

Les projets urbains qui se fondent sur la "valeur utilitaire" de la nature, c'est-à-dire sur son aptitude à améliorer la qualité de l'air et de l'eau, à réguler les microclimats, à faciliter la gestion des pluies d'orage et à réduire le bruit, peuvent relever de stratégies à l'échelle de la ville ou se réduire à des éléments constructifs spécifiques. Plusieurs d'entre eux ont déjà été abordés, par exemple la House for Trees de Vo Trong Nghia (p. 12), un prototype bioclimatique destiné à être reproduit, ou la station d'épuration de Croton, de Grimshaw et Ken Smith (p. 96), une infrastructure hybride où un paysage artificiel cache le toit de la station souterraine et rend au site son ancienne vocation de terrain de golf, sans oublier la gestion des eaux d'orage et la phytoremédiation (élimination des polluants par les plantes). Parmi les projets considérés dans ce chapitre, citons Harmonia 57 de Triptyque Architecture (p. 166). Cette résidence pour artistes, située dans une partie fréquemment inondée de São Paulo, au Brésil, est équipée d'un système de collecte des eaux pluviales, affiché par ses tuyauteries apparentes et la végétation que l'on pourrait croire sauvage, qui surgit des « pores » des façades en béton.

Au cours des deux décennies à venir, la ville de Copenhague a l'intention de lancer 300 projets pour contrer les effets du réchauffement climatique, en particulier l'augmentation de la pluviosité. Les urbanistes de SLA ont aidé le conseil municipal à élaborer une nouvelle stratégie garantissant des solutions naturelles pour tous ces nouveaux projets d'adaptation climatique. Par ailleurs, comme le remarque Kristoffer Holm Pedersen, de SLA, dans une ville qui se densifie, les habitants sont de plus en plus préoccupés par la pollution. Ils éprouvent donc « un besoin croissant d'un urbanisme éclairé, d'une ville en mesure de purifier elle-même l'air, l'eau et la terre, mais aussi de gérer les eaux pluviales, de maîtriser les températures, etc. »

À l'opposé, pour ce qui est de l'échelle, le mur d'Active Modular Phyto-remediation, développé par SOM et le Rensselaer Polytechnic Institute (p. 170), propose une alternative végétale (et plus efficace) à la climatisation des bureaux.

L'architecture sert aussi à accroître et à préserver la biodiversité. L'écologiste urbain Philippe Clergeau estime que la ville, pour devenir écologique et favorable à la biodiversité, devrait se densifier au lieu de s'étaler. Des "corridors verts" pourraient alors relier de vastes habitats naturels tels que les parcs et les forêts à des zones plus petites et dispersées, afin de tisser un réseau écologique. La tour résidentielle d'Édouard François, futur confluent de la biodiversité dans un ancien quartier industriel (p. 179), est un de ses projets peu coûteux qui a transformé des logements sociaux en jardin, en laissant "simplement" la nature prendre soin d'elle-même (p. 175) et le bâtiment mixte d'Husos transformé en un authentique laboratoire environnemental (p. 182) illustre entre autres la façon dont l'intérêt pour la biodiversité peut influencer un projet architectural.

Les villes devraient être productrices, même en période de récession, selon Anouk Legendre, l'une des fondatrices de XTU Architects, une agence d'architecture qui consacre une grande part de son activité à étudier précisément ce type de solutions. Le bureau parisien de SOA Architectes et le Laboratoire d'urbanisme agricole (LUA), forts de longues années de recherche, ont une vision de la réforme de l'urbanisme où l'agriculture ne serait plus une victime du mitage urbain, mais deviendrait l'un des éléments structurels de la ville. Le lecteur découvrira dans ce chapitre certaines des propositions de SOA (p. 194) ou la façade productive révolutionnaire de XTU (p. 204). Plusieurs projets où l'architecture rencontre l'agriculture urbaine se sont donnés pour but d'explorer d'autres facettes du sujet. Le siège de Pasona (p. 190), une multinationale spécialiste des ressources humaines, où les employés partagent leur lieu de travail avec des cultures de légumes, répond à un concept écologique, celui d'un bâtiment capable de changer les routines, mais aussi les choix de vie. Les fines tours Plantagon (p. 200), où des serres de nouvelle génération et d'échelle industrielle cohabitent avec des bureaux, visent un rendement maximal. Quant aux projets de Lina Ghotmeh (p. 186) et d'Ilimelgo (p. 198), ils associent la production d'aliments bio aux fonctions d'espace culturel et communautaire.

Harmonia 57

Triptyque Architecture / São Paulo, Brésil

Le concept architectural de cette résidence d'artistes tient compte aussi bien de questions climatiques que de la conversion dynamique de Vila Madalena, le quartier bohème de São Paulo. Guillaume Sibaud, l'un des associés de Triptyque Architecture, se réfère aux curieuses juxtapositions architecturales de l'endroit et à ses contrastes esthétiques. Ces qualités se retrouvent dans le projet et le contraste entre les intérieurs minimalistes aux surfaces lisses et le traitement brut des extérieurs.

Triptyque, confronté à une zone qui est inondable pendant la saison des pluies mais ne possède pas de système efficace de récupération des eaux pluviales, a usé de son bon sens, drainé le terrain et recyclé l'eau. Pour Harmonia 57, l'eau de pluie est à la fois une source d'eau technique (utilisée par exemple pour les toilettes) et un moyen de contrôler les températures. Un réseau d'asperseurs arrose les plantes qui traversent les "pores" de la façade et remplacent ainsi la climatisation. Se démarquant des jardins verticaux impeccables que l'on voit habituellement, Harmonia 57 ne cache pas ses tuyauteries en plastique et autres dispositifs low-tech qui ne sont autres que le système vasculaire d'un immeuble pensé comme un être vivant qui « respire, transpire, vieillit, guérit et change avec le temps ».

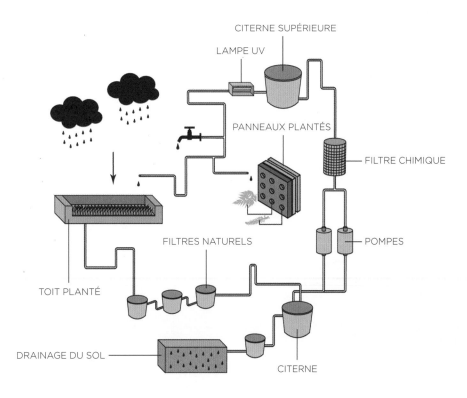

CITERNE SUPÉRIEURE

LAMPE UV

PANNEAUX PLANTÉS

FILTRE CHIMIQUE

FILTRES NATURELS

POMPES

TOIT PLANTÉ

DRAINAGE DU SOL

CITERNE

Le circuit des canalisations, filtres et asperseurs qui recycle les eaux pluviales est une composante majeure de ce projet. Certains tuyaux font office de garde-corps et le parti pris de les laisser apparents valorise les processus qui font vivre les façades de l'immeuble.

Mur AMPS

CASE – Skidmore, Owings & Merrill et Rensselaer Polytechnic Institute

PHYTO- ET BIOFILTRATION ACTIVE   MODULE PLÉNUM

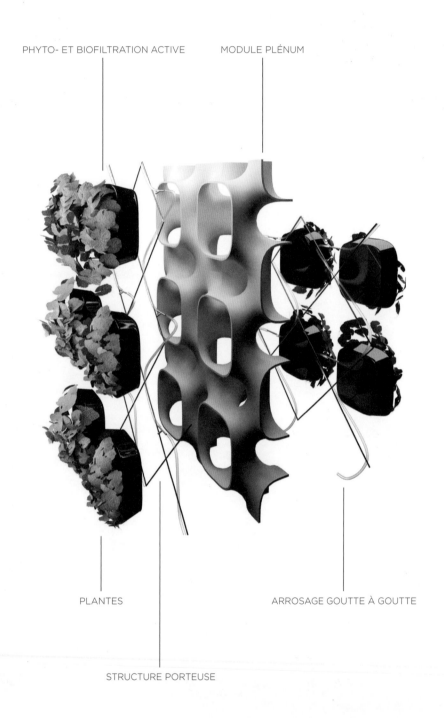

PLANTES   ARROSAGE GOUTTE À GOUTTE

STRUCTURE PORTEUSE

Le personnel du nouveau Centre d'appels de secours du Bronx, à New York (page ci-contre, en haut) sera le premier à bénéficier de la mise en service de l'AMPS, un système mural de purification de l'air par les végétaux. Développé par CASE (un pôle de recherche fondé par les architectes de Skidmore, Owings & Merrill et le Rensselaer Polytechnic Institute, qui étudie les techniques de demain pour une architecture durable), l'AMPS va plus loin que les systèmes d'air conditionné actuels, incapables de filtrer ou de neutraliser les polluants émis par les équipements de bureau tels que mobilier, peintures et moquettes. Qui plus est, d'après les architectes, ces systèmes font entrer l'air du dehors, parfois plus pollué que celui de l'intérieur.

L'AMPS (Active Modular Phytoremediation System) tire parti de l'aptitude des végétaux à purifier l'air. Il est connu que leur feuillage peut neutraliser les polluants et augmenter la teneur en oxygène. On sait moins que la zone autour des racines a une capacité de dépollution deux cents fois supérieure! Un AMPS est une structure autoportante à double face et moulée sous vide, où prennent place des plantes cultivées en hydroponie. Les alvéoles parfaitement étudiées emploient très peu de matière première, optimisent la circulation de l'air et permettent d'exposer les racines. Les essais ont confirmé que l'AMPS, dans un bureau classique, fait baisser de 80 % les niveaux des composés organiques volatils, ce qui réduit considérablement les besoins en ventilation mécanique, très gourmande en énergie.

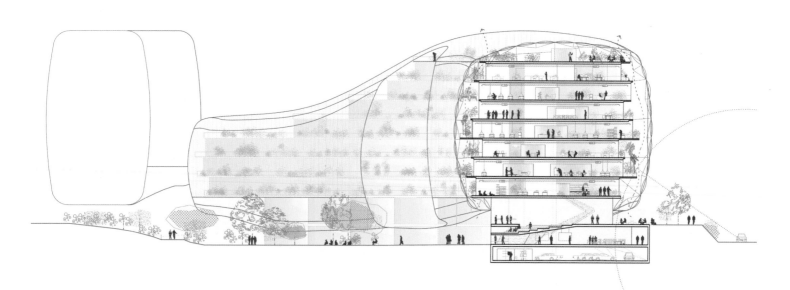

Drivhus

SelgasCano, Urban Design / Stockholm, Suède

La vue sur l'immeuble administratif (ci-dessous) de SelgasCano devrait être des plus fascinantes en hiver. Ce projet lauréat des architectes espagnols SelgasCano et de leurs collègues suédois d'Urban Design installe « un environnement de travail pour 1 800 personnes et un espace où les fonctionnaires, les hommes politiques et le public peuvent se rencontrer pour discuter de l'avenir de la ville » dans une serre de plusieurs étages, enrobée d'une peau transparente. La Drivhus ("serre" en suédois) sera située près de Stockholm Globe City, un vaste quartier dédié aux loisirs mais dont la nature est totalement absente. Un lotissement mixte avec un parc devrait y voir le jour et Drivhus accueillera la végétation non seulement dans sa cour, mais aussi « sous sa peau ».

L'idée de sa « façade bioclimatique » résulte d'une analyse du climat mondial et des prévisions de son évolution. À Stockholm, la multiplication des aberrations météorologiques se manifestera par des hivers plus courts, des étés plus chauds et plus humides. Drivhus, construite pour durer cent ans, est prête à relever ces défis. Sa double peau se compose d'une coque externe de tampons pneumatiques en film ETFE et d'un mur intérieur en verre, entre lesquels la végétation s'invite. L'ETFE, surtout connu pour son emploi dans l'Eden Project de Nicholas Grimshaw en Cornouailles (Angleterre) est résistant, léger et super-transparent. Il absorbe la lumière infrarouge, réduisant ainsi la consommation énergétique du bâtiment, adoucit l'acoustique intérieure et se remplace facilement à l'issue de ses cinquante années de service. La combinaison entre une coque en ETFE et un système de ventilation naturel flexible produira un microclimat tempéré pour tout un éventail de plantes : citronniers en pot, plantes cultivées par les employés, tomates, fruits et herbes aromatiques pour les restaurants et mini-pépinière pour les plantations du parc. Visible et accessible depuis les espaces de travail, toute cette végétation offrira un cadre de travail stimulant et une rupture bienvenue avec la routine du bureau.

Eden Bio

Édouard François / Paris, France

Le maître d'ouvrage des Vignoles, l'ensemble de logements sociaux édifié dans le 20ᵉ arrondissement de Paris par Édouard François, n'avait pas les moyens financiers d'assurer l'entretien régulier des espaces verts, mais cela n'a pas fait reculer l'architecte. Il a trouvé une solution : laisser la nature faire le travail elle-même. Surnommé « Eden Bio », le projet s'entend non pas comme un paysage, mais plutôt comme un territoire abandonné et colonisé par les plantes, d'après Édouard François, qui a remplacé le sol pollué par de la terre certifiée bio, où les graines apportées par le vent vont « exploser ». C'est là sa contribution principale à l'existence des jardins d'Eden Bio. La glycine, unique espèce plantée

délibérément, a vite envahi les escaliers et les échafaudages en bois qui couvrent la façade du long bâtiment central. Sinon, le paysage s'est développé avec une spontanéité totale. Trois ans après la livraison, l'endroit était peuplé de jeunes arbres hauts de 2 mètres et d'autres plantes, tandis que certains locataires avaient eu la bonne idée de garnir les jardinières vides mises à leur disposition sur les rebords des fenêtres et les balcons. Les deux serres, qui rendent hommage au passé agricole de l'endroit, abritent le local à vélos et les boîtes à lettres, en espérant, déclare François, que cet environnement atténuera l'effet des éventuelles mauvaises nouvelles reçues par la Poste.

Autrefois à la périphérie
de Paris, ce quartier
est aujourd'hui en plein
centre-ville. Le projet
rend hommage à son
histoire passée, en
maintenant la faible
hauteur des maisons
ainsi que les longues
ruelles qui les séparent
et rappellent les
anciennes parcelles des
maraîchers. La végétation
occupe les couloirs et
les recoins de ce cadre
villageois « poreux ».

M6B2 Tour de la biodiversité

Édouard François / Paris et Nantes, France

En 2011, le Conseil municipal de Paris décida de revenir sur la limite maximale de 37 mètres du plan local d'urbanisme de Paris, qui remontait à des dizaines d'années, et autorisa la construction d'immeubles plus élevés dans certains quartiers nouveaux. Édouard François fut l'un des premiers à dresser les plans d'une tour résidentielle sur une friche industrielle en pleine restructuration dans le 13ᵉ arrondissement de Paris. En fait, son immeuble de 50 mètres de hauteur résolvait deux problèmes : il proposait une façade plantée avec intelligence, qui ferait oublier aux Parisiens leur aversion pour les tours résidentielles et réduirait l'impact environnemental de celle-ci. Qui plus est, François voulait que sa tour M6B2 (ci-contre) soit proactive, pour restaurer et accroître la biodiversité dans la capitale. La densité de plantation de M6B2 (l'équivalent d'une colline boisée en pleine ville) augmente vers le sommet, d'où les graines pourront se disperser sur une grande partie de la capitale (la photographie du bas p. 181 donne une idée de leur portée). Si l'on ajoute à cela la proximité de plusieurs gares, la tour devient un corridor vert, relais pour la biodiversité, si nécessaire au sein de ce quartier.

La sélection des espèces les plus rustiques et les plus adaptables fut un aspect essentiel du programme. Elle s'est déroulée en collaboration avec les botanistes et les étudiants de l'école du Breuil, l'école parisienne d'horticulture. Ils ont recueilli des graines de plantes sauvages dans les forêts voisines, leur ont imposé des conditions de culture sévères, sans engrais et avec des arrosages réduits, puis les ont transplantées dans les pots spécialement réalisés pour la tour M6B2, après son achèvement en 2016.

L'étude des chasmophytes (plantes qui poussent dans les anfractuosités des rochers) a permis de réduire au maximum la taille et le poids des pots. Testés à l'école du Breuil, des tubes en inox longs de 3,50 mètres et larges de 35 cm ont finalement accueilli les plantes, souvent des chasmophytes.

François avait déjà imaginé un projet similaire pour Nantes (p. 179 et ci-dessous, en haut), avec des balcons dégagés, protégés par une résille métallique et des tubes d'acier en guise de pots. Dans ce projet non réalisé, la tour résidentielle se doublait d'une vitrine de plantes rares figurant sur la liste rouge des espaces menacées de l'UICN et cultivées au Jardin botanique de Nantes.

Host & Nectar

Husos / Cali, Colombie

Travailler et vivre sous un même toit est une vieille tradition à Cali, en Colombie. L'aspect novateur de ce projet est d'ajouter la biodiversité à cette combinaison. Cette idée résulte de la coopération entre le client, les architectes du projet, le biologiste Francisco Amaro et d'autres collaborateurs, notamment le zoo de Cali.

L'agence d'architecture Husos s'est vue confier ce projet d'immeuble mixte et capable d'évoluer par Taller Croquis, à l'époque une petite maison de mode qui montait. Comme les circulations se situent entre le gros mur et la résille métallique de sa peau externe, tous les espaces ont un accès indépendant et peuvent être loués séparément. En outre, la résille sert de tuteur à des plantes grimpantes luxuriantes, qui ont immergé les habitants dans une flore locale.

D'une part, la végétation de la peau externe et du jardin intérieur offre une climatisation passive et un charme presque campagnard, d'autre part elle a été choisie pour accueillir des oiseaux, des papillons et autres insectes et leur procurer du nectar. La Colombie héberge 10 % de la biodiversité mondiale et jusqu'à 45 % de la flore et de la faune endémiques vivent dans la province dont Cali est la capitale. On peut déplorer que les nouveaux projets immobiliers tiennent peu compte des espèces locales et que les habitants ignorent en grande partie l'héritage naturel exceptionnel de leur pays. L'équipe derrière le Host & Nectar Garden Building s'est donc donné pour mission de disséminer les informations (et les sachets de graines) pour encourager les habitants de Cali à agrandir le réseau des jardins autogérés.

Garden Building

D'après la description de Husos, « Pour l'immeuble, la présence des papillons est un biomètre évaluant la qualité de l'environnement. » Les architectes expliquent ensuite que les lépidoptères, inféodés à leurs plantes hôtes, mais aussi très sensibles aux écarts de température, d'humidité et de luminosité, sont l'un des meilleurs indicateurs des perturbations d'origine humaine. La Colombie est l'un des pays qui compte le plus d'espèces de papillons.

Réalimenter Masséna

Lina Ghotmeh – Architecture / Paris, France

De par le monde, des instituts de recherche sans nombre s'efforcent par tous les moyens de trouver comment nourrir une population mondiale qui devrait atteindre les neuf milliards d'individus d'ici 2050.

Or, ces efforts et les solutions sont souvent mal connus du public. C'est pourquoi l'architecte Lina Ghotmeh, dans son projet lauréat du concours « Réinventer Paris », a suggéré de convertir l'ancienne gare Masséna, dans le 13e arrondissement de Paris, en vitrine de « l'alimentation de demain ».

Lieu de rassemblement pour les habitants du quartier et pôle d'attraction pour les gastronomes, Réalimenter Masséna réunira des agriculteurs urbains, des chercheurs, des chefs cuisiniers, des artistes et des médias qui lanceront une culture gourmande et sensibiliseront les citadins à l'art et la manière de cultiver et produire la nourriture. L'ancienne gare sera complétée d'une tour, la première en bois à Paris, qui, sans aucun doute, sera le théâtre d'une foule d'activités gourmandes.

Les deux édifices reliés l'un à l'autre logeront 750 m² de fermes urbaines, des ateliers de formation, une cantine interactive, un marché, une salle de concert, une galerie de *street art* et quelques unités résidentielles. Regrouper en un même lieu toutes les étapes de la production alimentaire, « de la fourche à la fourchette », c'est aussi promouvoir le zéro déchet. Pour souligner cet esprit d'émulation, un plan incliné circulaire desservira les treize étages de la tour.

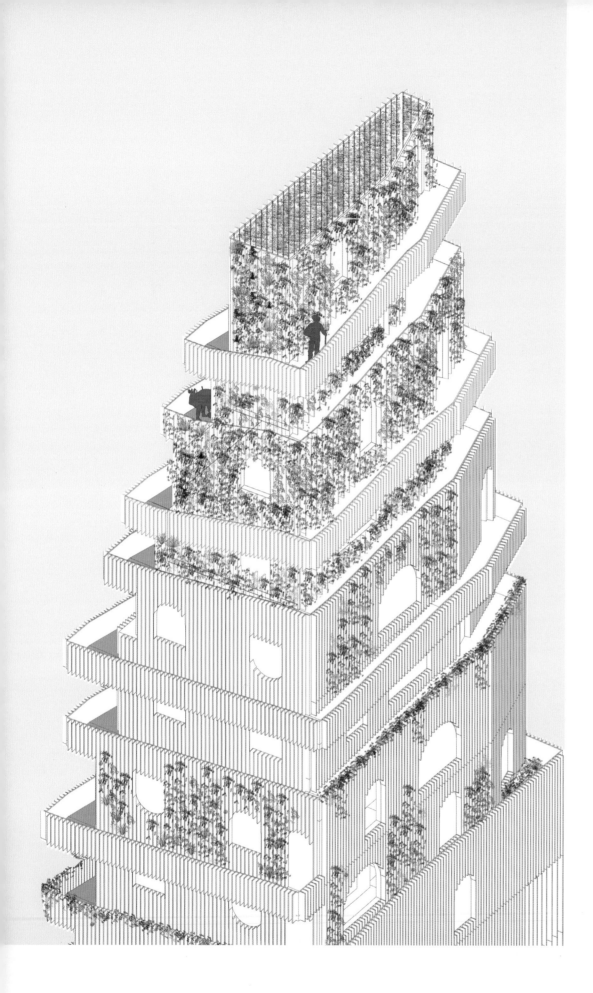

Les trois étages supérieurs de la tour en bois seront consacrés à l'agriculture urbaine et confiés à l'université agronomique AgroParisTech et à Sous les Fraises (entreprise de production de légumes bio en ville). La moitié de la superficie totale servira à la recherche, aux loisirs et aux commerces de détail, un quart sera constitué de logements, avec des appartements pour un chef cuisinier, un artiste et un chercheur en résidence. Sur le plan incliné ponctué de jardinières, les habitants pourront également s'adonner à la culture potagère.

Ferme urbaine de Pasona

Kono Designs / Tokyo, Japon

Il n'est pas vraiment étonnant que le groupe Pasona, deuxième société la plus importante au Japon dans le domaine des ressources humaines, ait installé une ferme urbaine dans son nouveau siège du centre de Tokyo. En effet, depuis ses débuts, ce groupe cherche à offrir des possibilités de travail enrichissantes à des personnes telles que les femmes au foyer, les jeunes ou les seniors. Il était donc naturel que Pasona se soucie aussi de la santé de son propre personnel en lui offrant cette expérience avant-gardiste : travailler toute la semaine dans un cadre végétal et manger des légumes frais à la cantine. Le concept développé par l'agence new-yorkaise Kono Designs se fonde sur le partage de l'espace tertiaire entre les cultures et les employés. L'entrée accueille une rizière et d'un champ de brocolis. Des potirons poussent dans l'espace d'accueil, une canopée de tomates s'étend au-dessus des tables de la salle de conférences, des salades occupent des plateaux hydroponiques dans l'amphithéâtre. La germination des haricots s'effectue dans les tiroirs astucieusement logés sous les bancs de la salle de réunion.

Au lieu de s'offrir un immeuble neuf, Pasona a choisi de rénover une construction d'une cinquantaine d'années, réhabilitée par une double peau ornée de fleurs de saison et d'orangers plantés sur les balcons d'une profondeur de 90 cm. Si l'idée de conjuguer le bureau et les cultures vise avant tout le bien-être, et non la rentabilité, la façade verte bioclimatique a un effet non négligeable et permet de réduire les coûts de chauffage et de climatisation. Les lampes de culture ont un surcoût énergétique, mais en même temps le programme d'éclairage des bureaux a réduit de 30 % sa consommation par rapport à des options plus conventionnelles. Pasona cherche ainsi à améliorer le cadre de travail de ses employés, mais aussi à promouvoir les techniques agricoles contemporaines. L'entreprise démontre à la nouvelle génération que ce secteur, en déclin constant au Japon, peut être innovant et rentable.

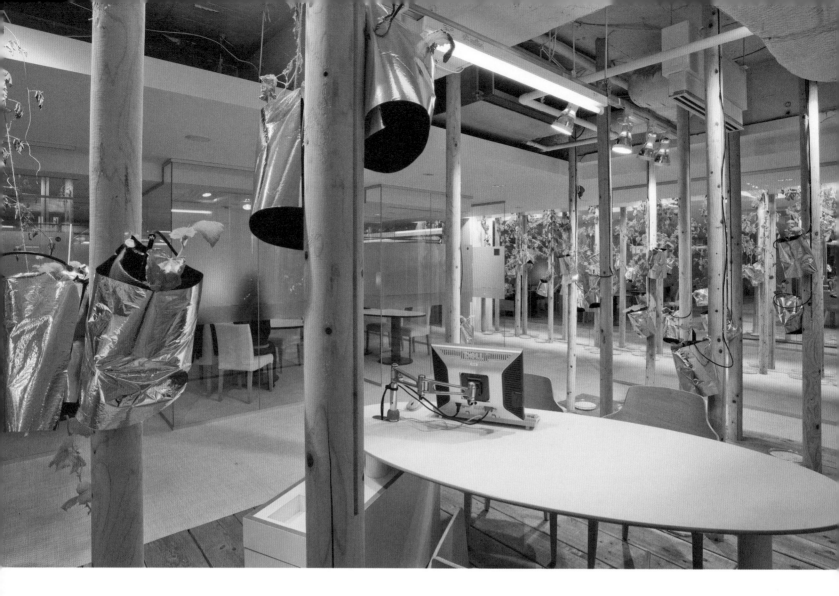

L'agence Kono Designs a développé ici le concept « de la ferme à la table » le plus grand et le plus direct du Japon. Les espaces verts du siège de Pasona totalisent 4 000 m² (soit 20 % de la totalité de l'immeuble) et accueillent 200 espèces de plantes, dont des fruits, des légumes et du riz. Les architectes soulignent que le Japon, qui manque de terres cultivables, est devenu le premier importateur de nourriture du monde, avec plus de cinquante millions de tonnes par an, qui parcourent en moyenne 15 00 km. Pasona, en cultivant et en consommant ses produits à l'intérieur de ses locaux, a peut-être trouvé le moyen de réduire drastiquement ces distances d'approvisionnement.

Fermes verticales

SOA Architectes

L'agriculture hors sol, cette inconnue du grand public qui occupe pourtant d'immenses surfaces dans les zones périurbaines (situées entre les banlieues et la campagne), se cache souvent dans des sortes de hangars qui, avec les "zones d'activités", font proliférer les paysages génériques et monotones. Augustin Rosenstiehl, l'un des architectes de l'agence parisienne SOA, s'est demandé pourquoi on n'installerait pas ces productions au cœur des villes. L'exploration des « fermes verticales », dans une perspective architecturale et urbanistique, est une facette importante du travail de SOA. Comment peut-on les intégrer dans un tissu urbain dense ? Quel type d'architecture remplirait cet objectif au mieux, tant du point de vue fonctionnel qu'esthétique ? Et à quel point les impératifs techniques de l'agriculture intensive sont-ils compatibles avec la protection indispensable de l'histoire et de la culture d'une ville ?

SOA, qui cherche à répondre à ces questions, a interviewé une brochette d'experts — et les a interrogés aussi bien sur l'architecture que la société, l'économie, l'écologie, la culture et l'alimentation — avant de formuler plusieurs propositions. L'une d'elles, Urbanana (page ci-contre et p. 197), combine plantations, laboratoire

À la demande de la municipalité de Romainville, SOA a étudié les possibilités d'un projet de rénovation urbaine qui relancerait aussi la production locale de fruits et légumes. SOA a proposé, ci-dessus, de greffer des serres reliées toute l'année entre elles sur des immeubles d'habitation existants. Les circulations et les services sont situés sur l'une des façades latérales.

de recherche et espace d'exposition pour développer et promouvoir la culture des bananes en France métropolitaine. Ces structures utiliseraient des lampes de culture plutôt que la lumière naturelle et pourraient, pour cette raison, s'insérer dans les étroits espaces "délaissés" entre les constructions. La façade transparente montrerait un "jardin suspendu" de bananiers, tandis que l'éclairage nécessaire à leur croissance ferait faire à la ville l'économie de quelques réverbères. Cactus (p. 194 et page ci-contre, en haut à droite) se compose de modules de plantation accrochés à un mât élevé. Avec une

emprise au sol et une ombre minimales, la construction (fondée sur le principe de la tenségrité) bénéficierait de la lumière naturelle de toutes parts. Un autre projet, le totem haut de 300 mètres de Tridi Farm (page ci-contre, en bas à droite), est assez important pour une production agricole à l'échelle industrielle. Cette ferme mécanique sans dalles de sol se fonde sur une maille tridimensionnelle qui laisserait pénétrer la lumière jusqu'en son centre. Entièrement cachée par les plantes, cette tour serait un étonnant jardin aérien, un site de production doublé d'un point de repère dans la ville.

Tour maraîchère

Ilimelgo et Secousses / Romainville, France

L'avenir s'annonce dynamique à Romainville, ville de banlieue absorbée par le Grand Paris. Dans cette région qui possède une longue tradition agricole, l'agriculture urbaine est en première place dans la liste des projets à long terme pour l'économie locale. La Tour maraîchère fait partie des projets pilotes. Conçue par les architectes de Ilimelgo et de Secousses, elle se dressera sur une parcelle de l'Office public de l'habitat, servira à la production de fruits et légumes locaux, créera des emplois et animera le quartier. Des bacs de culture sur plus de 1000 m² seront remplis d'un substrat issu de matières organiques. Ils se superposeront dans les édifices transparents, y compris une serre à vocation pédagogique et un point de vente en circuit court. Les architectes ont choisi des formes archétypales de serres et une hauteur en harmonie avec celle des immeubles voisins. Le projet repose sur des éléments préfabriqués. Par leur disposition, les deux bâtiments entièrement vitrés exploitent au mieux la lumière naturelle. Le bâtiment inclut compostage, récupération des eaux pluviales et enveloppe dotée d'écrans thermiques et mobiles permettant une isolation et une ventilation naturelles.

Plantagon

Plantagon International avec Sweco / Linköping, Suède

Plantagon est une société qui imagine des fermes urbaines et verticales à échelle industrielle, qui soient aussi performantes qu'esthétiques. Son premier projet en construction, à Linköping, est un hybride né du besoin d'optimiser les méthodes d'agriculture industrielle et de maîtriser les températures.

Le cœur du projet consiste en une « spirale de transport » brevetée, où prennent place les bacs de plantation. Les plantes cultivées en hydroponie descendent peu à peu sur cette spirale pour atteindre le rez-de-chaussée juste au moment de la récolte. Ce choix d'une spirale réduit les besoins en éclairage artificiel. Par ailleurs, l'espace en façade, large de 3 à 6 mètres, peut être alloué à d'autres fonctions, comme des bureaux, tout en assurant suffisamment de lumière du jour.

Plantagon a développé avec les consultants en architecture et en ingénierie suédois de Sweco une série de projets destinés à des emplacements variés, plus ou moins lumineux. L'une des variantes est un globe, qui devrait tirer le meilleur parti de la lumière omnidirectionnelle des zones proches de l'équateur. Des façades *plantscraper* ("gratte-ciel végétalisés") et des additions tubulaires sur des tours existantes sont à l'étude, mais aussi des constructions particulièrement légères derrière une façade de coussins en ETFE, des immeubles purement agricoles, d'autres accueillant une serre et diverses autres fonctions.

Linköping, en Suède,
s'apprête à accueillir la
première tour Plantagon
du monde (à droite et
page ci-contre).
Ici, l'entreprise se sert
du modèle de la « serre
intégrée ». La surface
de culture de 4 300 m²,
à l'intérieur de la façade,
enveloppe des bureaux
et un centre de recherche
et de développement,
pour une emprise au sol
trois fois moindre.

Biofaçade

XTU Architects / Paris, France

L'agence XTU, plus particulièrement intéressée par la conception de bâtiments productifs et économiquement rentables, a eu l'idée de transformer les façades urbaines en "photobioréacteurs" permettant la culture de micro-algues, sans doute l'une des matières premières les plus utiles au monde. Ces micro-organismes, qui peuplent océans, lacs et cours d'eau, produisent par photosynthèse plus de 75 % de notre oxygène et constituent l'un des puits de carbone les plus importants de la planète. D'une incroyable richesse en protéines, lipides, anti-oxydants et autres molécules biologiques, depuis quelques décennies, les micro-algues trouvent de plus en plus d'applications, de la santé et des cosmétiques aux aliments pour les humains et les animaux. Ressource précieuse pour la chimie verte, leur capacité à servir de matière première pour la production de biofuel fait par ailleurs l'objet de recherches intenses.

Développé par SymBIO2, un consortium de laboratoires, de start-up et de producteurs porté sur les fonts baptismaux par XTU, la biofaçade est une exploitation industrielle et rentable de micro-algues, intégrée dans une façade hautes performances. Brevetées en 2009, ces façades ultra-minces recyclent les eaux usées pour cultiver cette précieuse biomasse à un coût inférieur de 30 % à la normale. Elles forment également une "enveloppe thermorégulatrice" qui peut réduire de moitié les coûts de chauffage et de climatisation d'un bâtiment. Les premières entreront bientôt en service dans le cadre du projet « In Vivo à Paris » (page ci-contre), un nouvel îlot urbain signé XTU et MU. Il réunit trois tours, une Tree House aux grands balcons plantés, une Plant House dont les loggias se prêtent à une agriculture urbaine d'échelle réduite et l'AlgoHouse, avec des logements pour des étudiants et de jeunes chercheurs et des biofaçades produisant des micro-algues pour la recherche médicale.

Les micro-algues sont cultivées à l'intérieur des cellules remplies d'eau de la façade à double vitrage. Un système hydraulique agite sans cesse les algues, qui reçoivent ainsi plus de lumière pour la photosynthèse. Ce dispositif invisible, intégré dans la façade, fait circuler l'eau et l'air. La récolte des micro-algues aura lieu de nuit, selon un cycle de maintenance numérisé. À droite, AlgoNOMAD, prototype fonctionnel de biofaçade, a été installé devant l'Hôtel de ville à Paris.

Fusion 2.0

Fusion 2.0

Si le Corbusier voyait dans la maison une « machine à vivre », Nicolas Desmazières, l'un des fondateurs de l'agence XTU Architects, la considère plutôt en tant qu'« organisme dans lequel on vit », une définition en parfaite résonance avec les thèmes de ce dernier chapitre qui essaie d'imaginer à quoi pourraient bien ressembler les prochaines étapes de la fusion entre nature et ville.

Pionnier de l'urbanisme vertical vert, l'architecte et écologiste malais Ken Yeang estime que l'architecte doit relever le défi crucial de la bio-intégration, c'est-à-dire le besoin « d'intégrer tous les éléments de notre environnement construit (immeubles, équipements, infrastructures, produits, réfrigérateurs, jouets, etc.) au sein de notre environnement naturel ». On peut y parvenir par « l'éco-mimésis », une démarche architecturale imitant les processus, structures et fonctions naturels pour rendre les écosystèmes artificiels compatibles avec ceux de la nature, afin de « soutenir la vie dans la biosphère ».

Le concept de la ville en tant qu'écosystème revient dans de nombreux projets futuristes associant architecture et nature. Les paysagistes français de Coloco et Natalie Jeremijenko, artiste, ingénieur et inventeur qui vit à New York, parlent de « mutualisme » — d'une relation mutuellement profitable aux différents organismes, selon eux l'un des principes fondamentaux des systèmes naturels. « Nous faisons partie d'un écosystème urbain complexe », déclare Jeremijenko. Selon elle, les villes devraient être conçues comme des « systèmes interdépendants, mutualistes et multi-dimensionnels » où il ferait bon vivre pour les humains comme pour les non-humains. Vincent Callebaut (dont certains projets relevant de la science-fiction sont en chantier à Taïwan, en Chine, en Égypte et en Belgique) rêve de transformer New York en forêt amazonienne. Il voit un arbre dans chaque tour, un arbre qui fournit de l'énergie et dont les déchets se transforment en ressource pour une autre fonction. Les différentes fonctions et écosystèmes se retrouvent dans une ville intelligente qui, comme la nature, ne connaît ni pollution, ni déchets. Au cours des cinq années à venir, Callebaut va s'attacher à faire parvenir l'écosystème urbain à maturité. Il conçoit ses projets à l'aide des technologies de l'information et de la communication et s'inspire beaucoup de la biologie, par exemple du biomimétisme et de la bionique, en plus d'intégrer la végétation naturelle. Les études de cas commandées à l'agence de Callebaut par le Conseil de Paris (p. 242) donnent une idée de ses projets.

Aujourd'hui, les architectes testent des matériaux favorables aux cultures comme le béton vert (p. 215) et adoptent un nouveau point de vue pour réduire l'excès de « matière inorganique » dont les humains encombrent la biosphère. Dans les tours bioclimatiques de Ken Yeang, les plans inclinés en spirale couverts de bacs de plantes, par leur mouvement constant, se muent en « rues verticales » et multiplient les « liaisons écologiques ». L'équipe d'Architensions propose d'appliquer les méthodes de l'urbanisme vertical et vert à tout un îlot urbain (p. 241). L'agence Rael San Fratello va encore plus loin avec ses « jardins aériens » suspendus à des dirigeables semi-autonomes qui joueraient en quelque sorte le rôle « d'ambulances environnementales » (p. 236).

La coopération en douceur entre les systèmes naturels et numériques est un autre concept puissant qui devrait façonner la ville de l'avenir. Des exemples en sont livrés par la forêt revue et corrigée de breathe.austria (p. 228) et l'« éco-parc » de Philippe Rahm et Catherine Mosbach, doté de climatiseurs solaires copiant la nature (p. 232). Claudia Pasquero et Marco Poletto, d'ecoLogicStudio (p. 220), suggèrent un « dialogue organisé » entre les systèmes biologiques et artificiels et en étudient le potentiel dans des projets allant de l'installation à des collaborations avec des instituts de recherche de pointe pour réinventer le pilotage par satellite. « Envisagez les arbres tels des modules photosynthétiques aux extrémités ramifiées ou des systèmes à double ramification, si vous ajoutez la partie souterraine », explique Poletto. « Quand vous regardez une forêt, vous devez aussi penser à toutes les racines et au mycélium qui va former avec elles un réseau de communications, une sorte d'Internet biologique. Soudain, l'arbre n'est plus un arbre. Aujourd'hui, nous sommes capables de le comprendre sur plusieurs niveaux, parce que nous avons Internet, qui n'est pas toujours un mode de communication, mais aussi un moyen de découvrir le monde. Je pense qu'il est temps de faire ce pas. »

Sommes-nous prêts à le franchir ?

Rising Canes

Penda

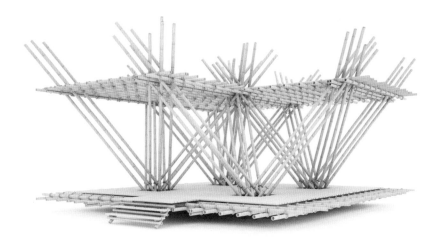

Chris Precht, l'un des fondateurs de l'agence Penda, à Pékin, a une passion pour les systèmes structurels. Il est déjà l'auteur d'une grille structurelle en losange qui s'adapte aussi bien à un pavillon dans un parc qu'à une tour en plein centre-ville.

En 2014, Precht participa à un concours pour la construction d'hôtels dans un cadre naturel, et cela dans une perspective durable. Il s'inspira du tipi pour concevoir un système modulaire qui a abouti aux Rising Canes. Les architectes ont utilisé pour ce nouveau système des bambous, selon eux un matériau de construction remarquable et riche d'une grande tradition locale, mais sous-estimé. Le bambou atteint sa taille adulte (jusqu'à 40 mètres) en quatre à six ans et est deux à trois fois plus résistant qu'une poutrelle en acier d'un poids égal. De plus, ses racines survivent à la coupe et le bambou repart. Le concept de Penda se fonde sur des assemblages en X, liés avec des cordes. Des sablières s'insèrent entre ces assemblages, doublés pour plus de stabilité. Chaque module est haut de 3,80 mètres et large de 4,40 mètres. La structure résultante peut s'agrandir dans tous les sens et le rez-de-chaussée étant surélevé, elle s'adapte à plusieurs types de terrains.

Penda, qui a présenté un prototype opérationnel à la Beijing Design Week 2015, pense qu'il est possible de construire des quartiers entiers sur ce mode. Des bambouseraies à proximité permettraient d'éviter les ruptures d'approvisionnement.

Béton vert

XTU Architects

L'agence parisienne XTU Architects a inventé des matériaux de construction servant de support naturel à la croissance végétale. Après les briques pouvant servir de supports de culture (page ci-contre) — leur première tentative pour faire germer les façades — les architectes sont passés à la génération suivante du mur vert : les plantes s'enracinent dans la façade, sans substrat ni irrigation intégrée. Anouk Legendre, partenaire associée de XTU, précise que pour les tests sur du béton poreux et granuleux, les chercheurs de l'université de Paris-Sud ont sélectionné quelque deux cents plantes pouvant pousser toutes seules, sans dégrader le mur.

Les espèces sélectionnées, résistantes à la sécheresse et sans entretien, sont compatibles chimiquement avec le béton. Elles peuvent séquestrer le dioxyde de carbone et jusqu'à 40 % des oxydes d'azote atmosphériques — les deux principaux polluants dans les villes. Ce "béton vert" promet donc des constructions transformées en purificateurs d'air à grande échelle.

Urban Algae Follies

ecoLogicStudio

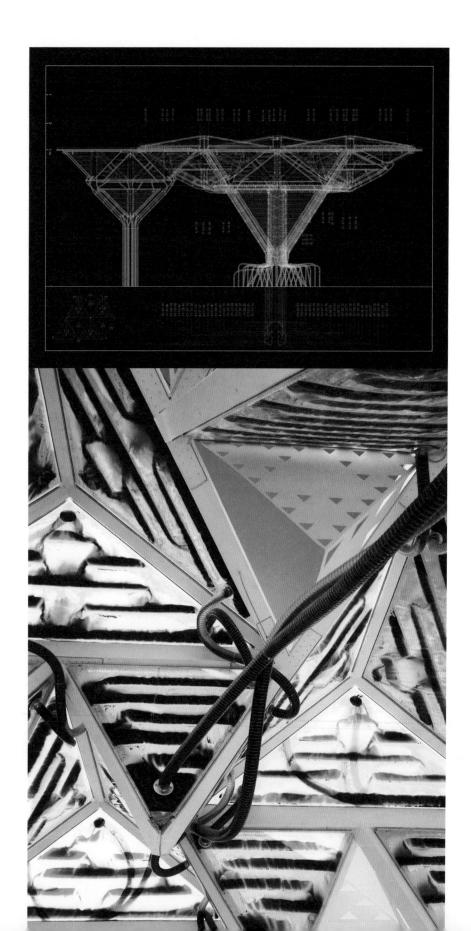

Marco Poletto et Claudia Pasquero, de l'agence londonienne ecoLogicStudio, sont des adeptes de l'intelligence artificielle pour leurs concepts et prototypes qui effacent les limites entre le naturel et l'artificiel. Ils étudient également la possibilité de faire fusionner l'environnement bâti avec les organismes biologiques en un « assemblage co-évolutif ».

Le projet Urban Algae Follies de Poletto et Pasquero repose sur l'intégration de la culture de micro-algues dans les constructions. Il en résulte une architecture d'un type nouveau, un « espace public productif et bio-numérique », comme l'explique Poletto.

Urban Algae Follies cultive des algues dans des bio-réacteurs en plastique ETFE qui sont eux-mêmes les composants d'une nouvelle architecture, comme dans la canopée présentée à l'Expo 2015 de Milan. Les propriétés constamment changeantes du projet résultent du jeu complexe de relations entre le climat, les organismes vivants et le système de controle informatique qui fait dépendre le développement des algues des conditions météo et des mouvements des visiteurs. Le soleil, par exemple, déclenche une augmentation du flux de nutriments, d'eau et de CO_2, éléments nécessaires au développement des algues, stimulant leur croissance et la capacité de la canopée à procurer de l'ombre. En même temps, la présence des visiteurs déclenche des électro-vannes qui modifient la vitesse du flux des algues, et avec elle la transparence et la couleur de la canopée.

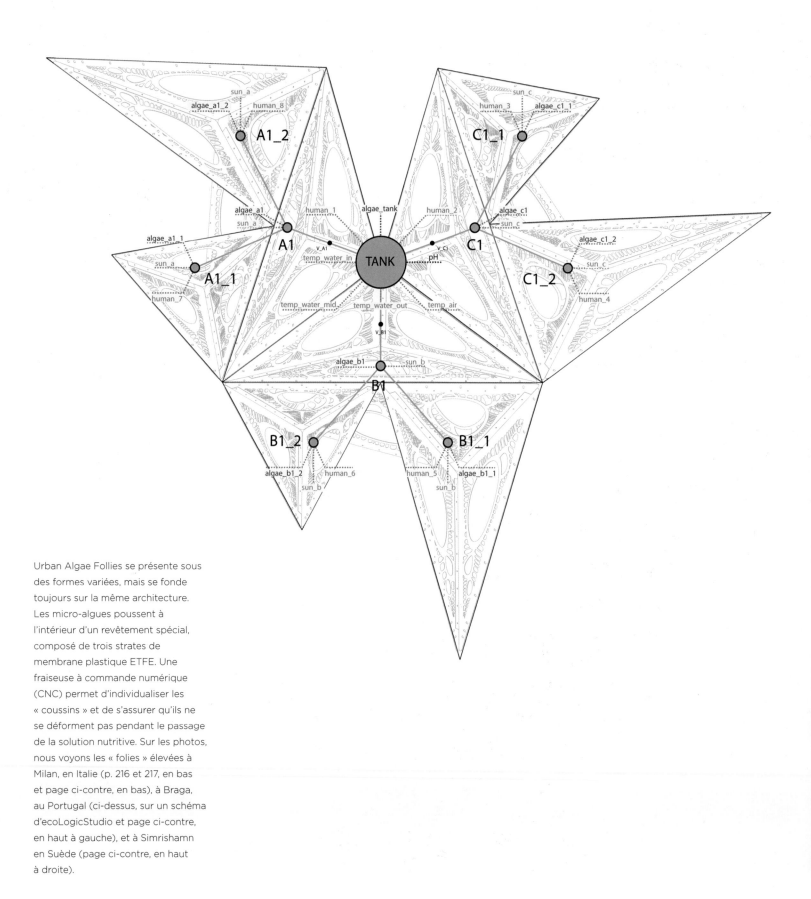

Urban Algae Follies se présente sous des formes variées, mais se fonde toujours sur la même architecture. Les micro-algues poussent à l'intérieur d'un revêtement spécial, composé de trois strates de membrane plastique ETFE. Une fraiseuse à commande numérique (CNC) permet d'individualiser les « coussins » et de s'assurer qu'ils ne se déforment pas pendant le passage de la solution nutritive. Sur les photos, nous voyons les « folies » élevées à Milan, en Italie (p. 216 et 217, en bas et page ci-contre, en bas), à Braga, au Portugal (ci-dessus, sur un schéma d'ecoLogicStudio et page ci-contre, en haut à gauche), et à Simrishamn en Suède (page ci-contre, en haut à droite).

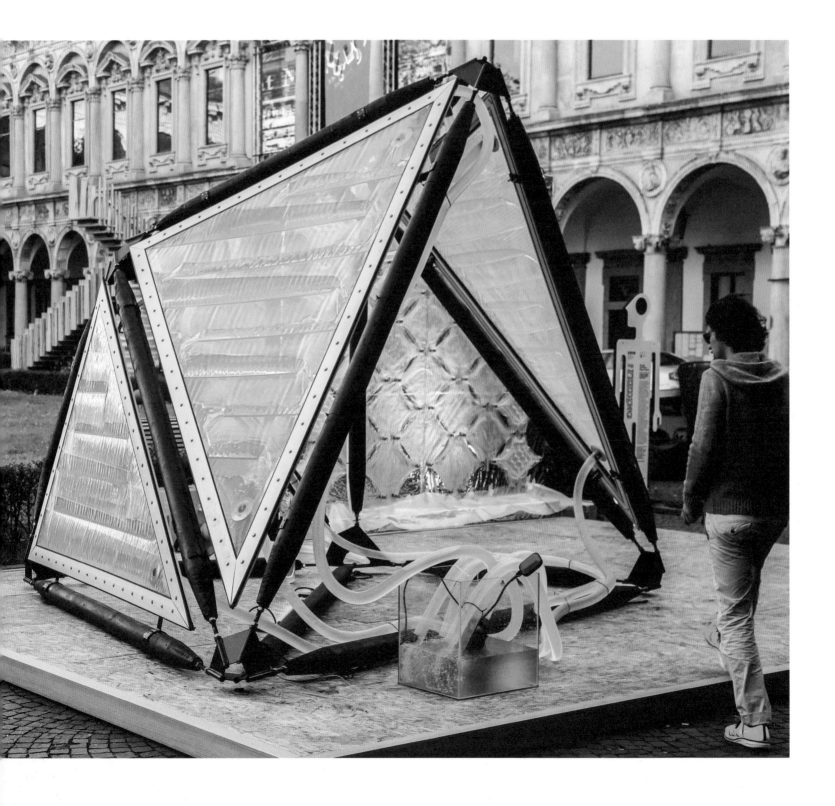

H.O.R.T.U.S.

ecoLogicStudio

« Je n'ai rien contre le fait de couvrir un immeuble d'arbres, mais je trouverais plus intéressant que ces arbres deviennent vraiment un élément constructif, un organisme d'un genre entièrement nouveau, et non la réplique d'une forêt en montagne. » C'est ce que déclare Marco Poletto, d'ecoLogicStudio, qui croit notre société prête à « une expérience différente de la nature ». H.O.R.T.U.S. (Hydro Organisms Responsive to Urban Stimuli), développé par l'agence qui l'a exposé dans des lieux variés, par exemple à l'Architectural Association de Londres, à la Fondation EDF à Paris et au Centre pour les arts et les médias de Karlsruhe (page ci-contre), porte les photo-bioréacteurs à un nouveau niveau conceptuel. Ces arborescences sophistiquées résultent d'un cocktail d'exigences pratiques et éducatives. Elles se

prêtent à la culture des micro-algues, mais aussi, et c'est peut-être plus important, recourent à l'interactivité et à l'esthétique pour révéler tout le processus au public. Celui-ci, en effet, ne voit pas très bien à quoi ressemble une exploitation typique de micro-algues, sinon à une chose « laide et effrayante ». Les visiteurs envoient du CO_2 dans les coques transparentes remplies de micro-algues, puis scannent le code pour savoir si cette espèce sert à l'alimentation, à l'énergie ou à la médecine, ils observent les différentes couleurs des algues en fonction de leur stade de développement ou admirent juste les reflets lumineux dans l'eau remplie d'algues. Tous participent à un processus obscur en apparence, à un niveau personnel, en grande partie non verbal, et finissent par mieux comprendre l'infrastructure qui les entoure.

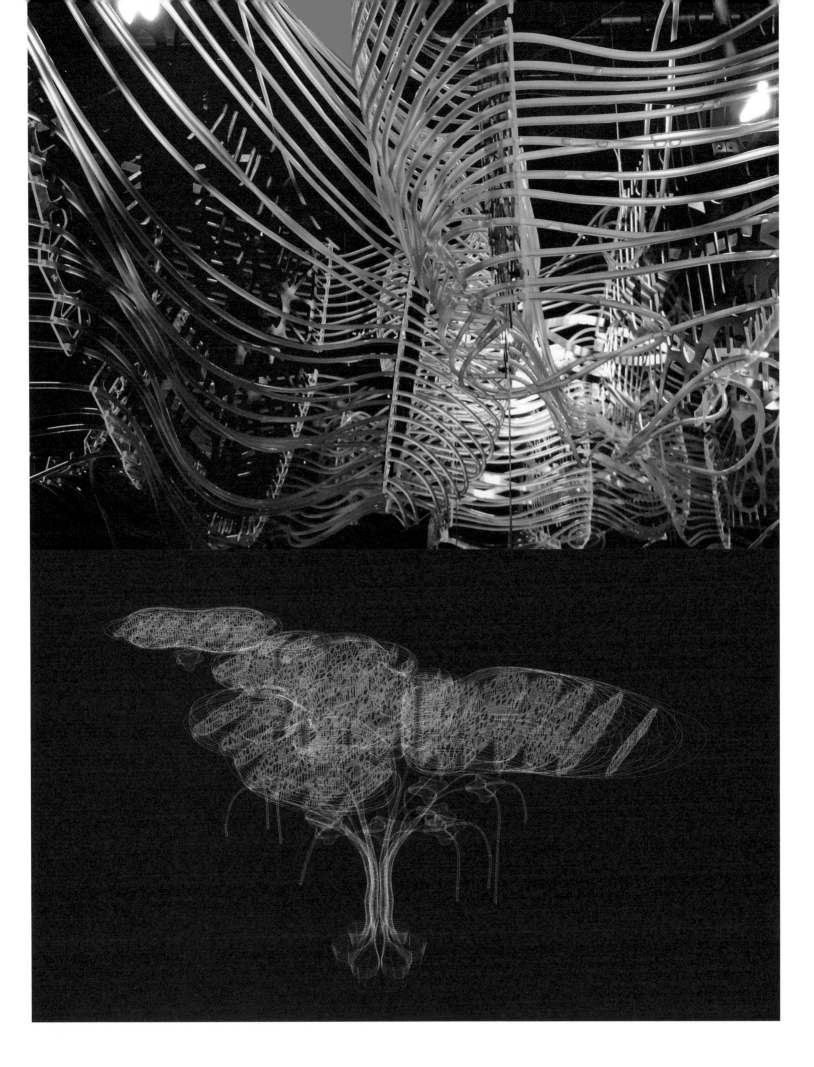

Faulders a étudié, de concert avec le
laboratoire du docteur Sarah Eppley,
à la Portland State University, dans
l'Oregon, le comportement des spores
de la mousse *Ceratodon purpureus*,
en particulier leur schéma de
développement, ramification et
reproduction, en quête des nutriments et
de la lumière. Cette mousse, qui résiste
bien mieux à la pollution que les autres,
prospère dans les milieux urbains et
industriels. Elle est donc idéale pour les
murs de mousses de Faulders.

Bryophyte Building

Faulders Studio / Téhéran, Iran

Thom Faulders, fondateur de Faulders Studio, voit dans ses constructions des organismes évolutifs plutôt que des objets statiques. Les peaux vivantes reviennent dans plusieurs de ses projets, de la façade d'un garage à Miami, sorte de toile mise à la disposition des street artists, à une façade à Dubaï où l'eau de mer circulant dans une structure tubulaire laisse peu à peu une couche de sel cristallisé sur la dentelle de l'enveloppe. Le Bryophyte Building (page ci-contre), destiné à Téhéran, est enrobé de mousse. Capable de pousser sur de la pierre et de recouvrir entièrement des surfaces verticales et horizontales, la mousse devient un élément clé de cette architecture évolutive co-signée par la nature.

L'air à Téhéran, l'une des villes au monde les plus dépendantes de l'automobile mais aussi les plus riches en espaces verts, « contient autant de spores de plantes en suspension que d'émanations de carbone », remarque Faulders. Il a donc tiré parti des conditions locales pour concevoir « un immeuble qui porte ce qu'il absorbe dans l'air que nous respirons. » Sa façade sud reste dans l'ombre la majeure partie du temps. Avec des surfaces irrégulières, qui "accrochent" très bien, et un système intégré d'humidification (alimenté par de l'eau recyclée), les conditions sont idéales pour attirer les spores des mousses et les aider à s'installer. Cette façade texturée et veloutée purifie l'air, mais atténue et absorbe aussi le bruit de la circulation.

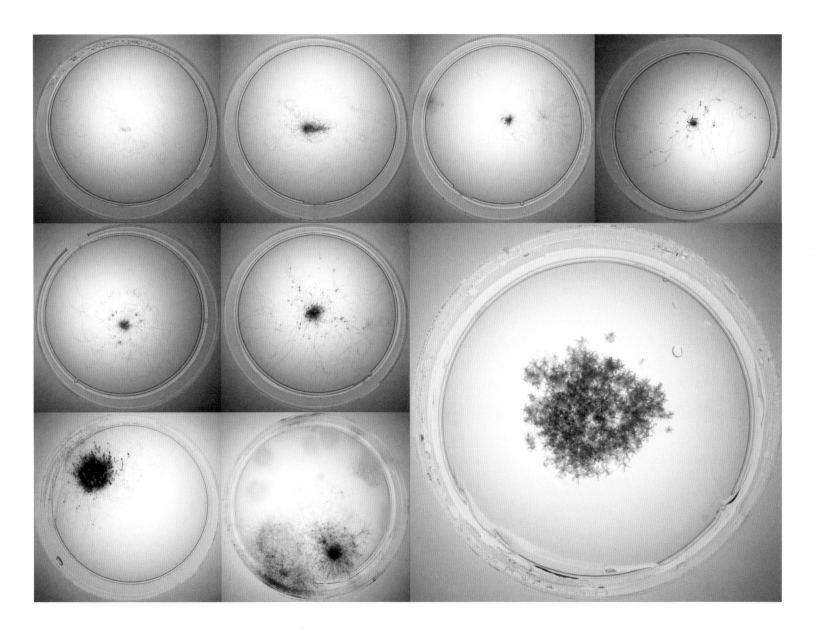

Hydrophile

Servo / Stockholm, Suède

Le projet de Servo — une agence d'architecture présente à Los Angeles et à Stockholm — pour le Centre suédois de l'innovation en bio-sciences, bouleverse le concept de toiture végétalisée et propose une « canopée propice à l'occupation ». L'expérience se fera d'en haut mais aussi d'en bas (aux endroits où la toiture effleure le sol) et de l'intérieur, par exemple dans les laboratoires où les plantes seront cultivées dans des microclimats semi-contrôlés. Le toit hydrodynamique du centre s'inspire de la nature, en l'occurrence des propriétés de la carapace d'un scarabée, le ténébrion du désert du Namib, qui laisse l'eau du brouillard matinal se condenser sur son corps puis ruisseler vers sa bouche.

Les architectes ont utilisé des céramiques plus ou moins poreuses et aux revêtements diversifiés, ainsi qu'une topographie variable pour offrir des conditions adéquates à plusieurs communautés végétales, mousses et lichens qui vivent à peu près sans terre, ou à des espèces des prairies humides et des marécages. L'épaisseur du substrat varie de moins de sept centimètres pour les espèces xérophiles à 35 centimètres pour celles des zones humides. Plusieurs protubérances, sur la toiture, guident l'eau vers des cavités où elle est stockée pour l'irrigation des écosystèmes humides. Le futur centre, en lisière d'un parc national non loin de la baie de Brunnsviken, avec son astucieux circuit hydraulique intégré, devrait bientôt voir affluer les amphibiens locaux.

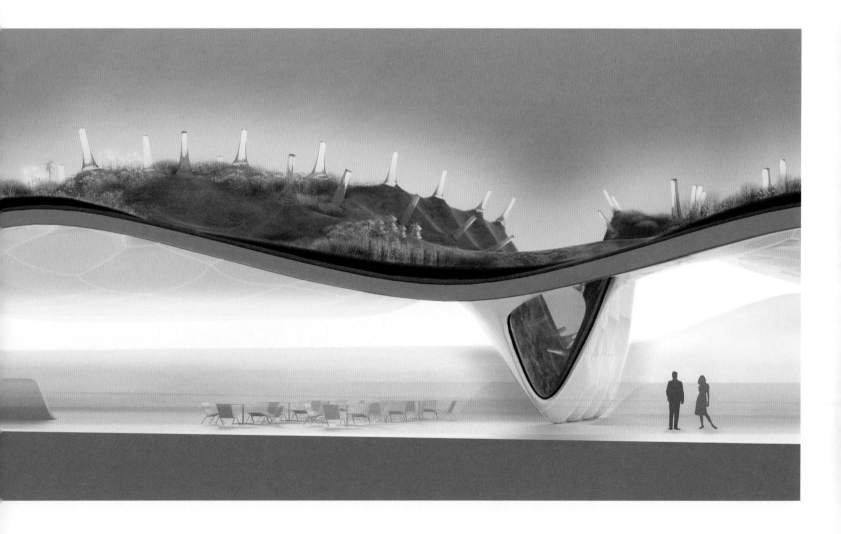

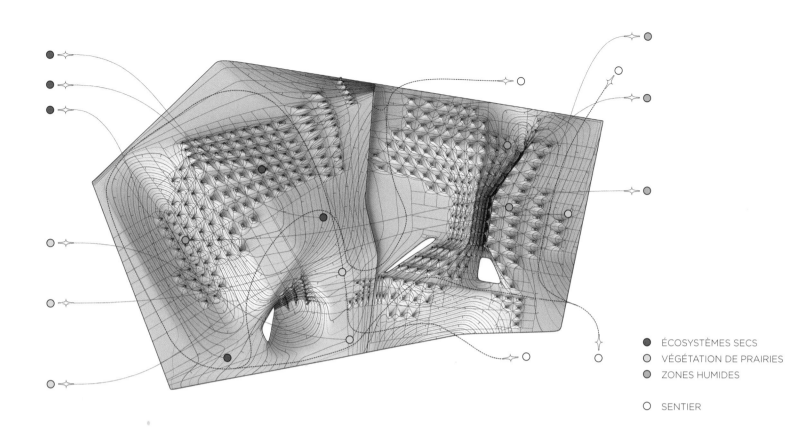

ÉCOSYSTÈMES SECS
VÉGÉTATION DE PRAIRIES
ZONES HUMIDES

SENTIER

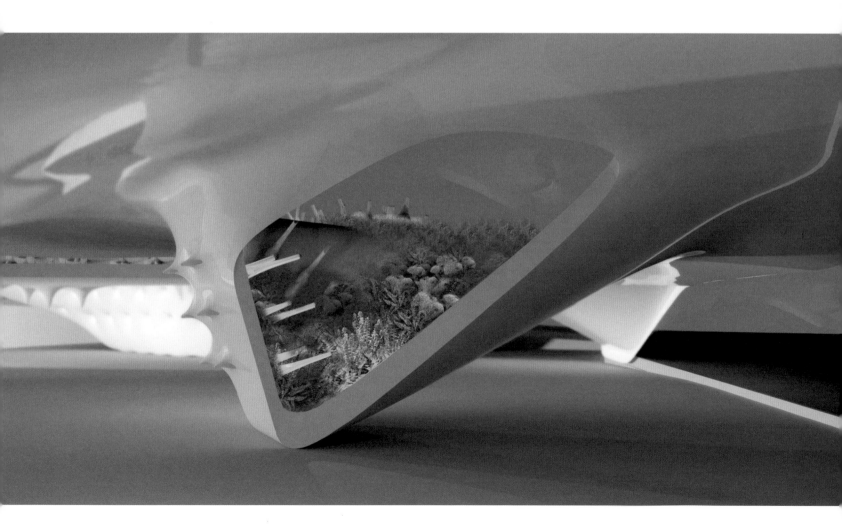

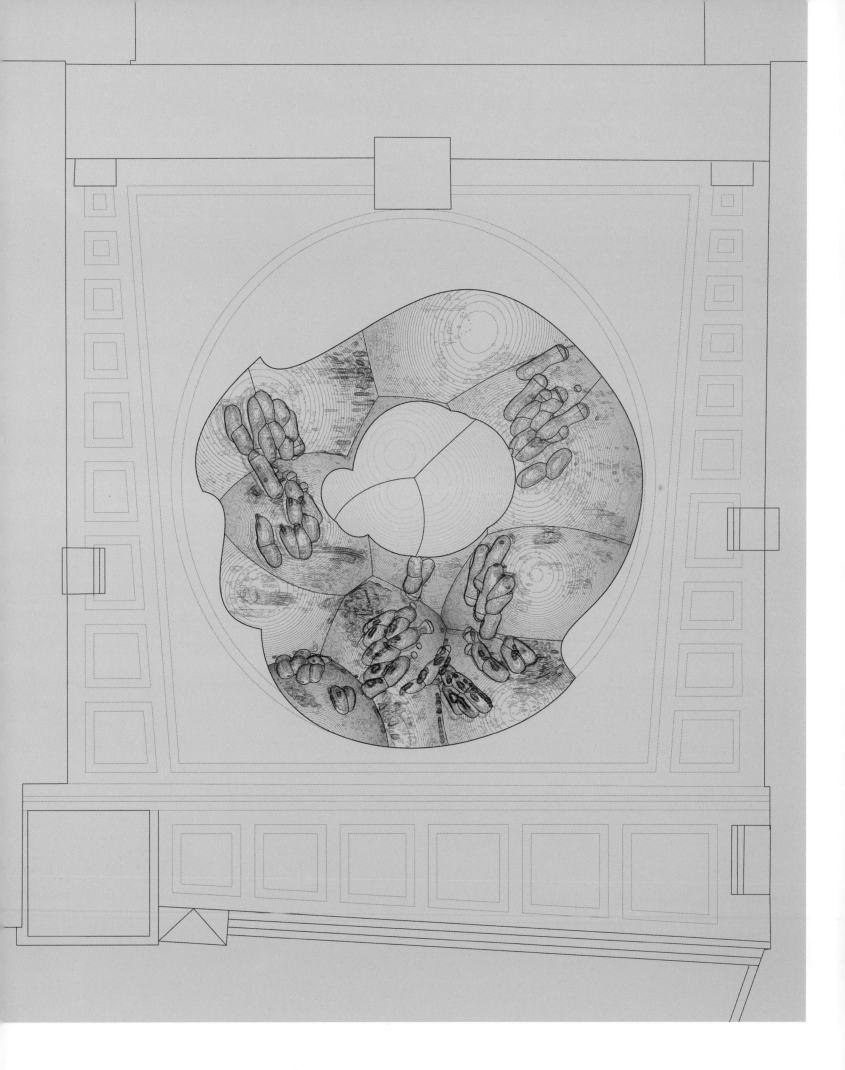

Vector Interference

Servo / Stockholm, Suède

Servo, chargé de réfléchir à un équipement de 500 m² pour l'Institut royal de technologie de Stockholm, souhaitait que le design du bâtiment reflète les activités de recherche et d'études qui s'y dérouleront et puissent ainsi influer sur l'environnement construit du campus ». Les architectes, sous la houlette d'Ulrika Karlsson et de Marcelyn Gow, des bureaux de Stockholm et de Los Angeles, ont employé des techniques vectorielles simples pour concevoir une toiture reproduisant un paysage façonné par l'érosion, dotée d'une topographie aussi complexe que le permet un usinage numérique. Plusieurs espèces de mousses xérophiles garniront le toit, mais sans le recouvrir en totalité, comme sur un vrai rocher moussu. Certaines surfaces repoussent l'eau, d'autres l'absorbent, d'où des zones humides et sèches favorisant la diversité de ce micro-paysage.

breathe.austria

team.breathe.austria / Milan, Italie

À l'Expo 2015 de Milan, l'Autriche a présenté une « station génératrice d'air », une forêt qui vit et respire à l'intérieur d'un pavillon sans toit. En réaction au thème de l'exposition, « Nourrir la planète, énergie pour la vie », l'équipe multidisciplinaire dirigée par Klaus Loenhart, de l'agence austro-allemande terrain, s'est concentrée sur l'air, qui est à la base de toute production alimentaire et l'une des ressources les plus précieuses sur terre.

Les visiteurs, mis à rude épreuve par l'été milanais, se réfugiaient avec plaisir dans le pavillon breathe.austria, en fait une vision futuriste de la coopération entre nature et technologie. Dans cette oasis artificielle, 190 espèces de mousses, de graminées et d'arbres provenant de douze habitats forestiers autrichiens s'organisaient en un paysage raffiné, où des brumisateurs et des ventilateurs encourageaient des phénomènes naturels comme la transpiration végétale. Cette forêt hybride, d'une fraîcheur agréable sans aucune climatisation et qui produisait assez d'oxygène pour répondre aux besoins de 1 800 visiteurs, était au cœur d'une expérience multi-sensorielle mise en scène avec sophistication.

Les créateurs de breathe.austria (des architectes, paysagistes et ingénieurs en génie climatique) sont convaincus que ce type d'alliances entre nature et technologie fera avancer les choses. Ce pavillon qui produit autant d'oxygène qu'une forêt cinquante fois plus étendue est un modèle efficace et écologique pour des projets urbains. Imaginez un réseau de ces oasis dans une ville accablée par la pollution aérienne...

Le pavillon autrichien pour l'Expo 2015 occupait 560 m². Des brumisateurs sous haute pression, installés dans cet enclos forestier, déclenchaient la transpiration végétale sur la totalité de la surface des plantes, soit 43 200 m². De la sorte, la température ambiante était inférieure de 5 à 7 °C à celle de l'extérieur, sans climatisation, et les 62,5 kg d'oxygène fournis à l'heure équivalaient à la production d'une forêt de 3 hectares. Les panneaux photovoltaïques sur la toiture et une sculpture avec des capteurs solaires Grätzel assuraient toute l'électricité nécessaire à l'opération.

+31°C / 87.8°F

CO_2

O_2

+26°C / 78.8°F

O_2

TRANSPIRATION VÉGÉTALE

SOLEIL

AIR FRAIS

PHOTO-SYNTHÈSE

CO_2

+25°C / 77°F

Jade Eco Park

Philippe Rahm Architectes, Mosbach Paysagistes, Ricky Liu & Associates / Taichung, Taïwan

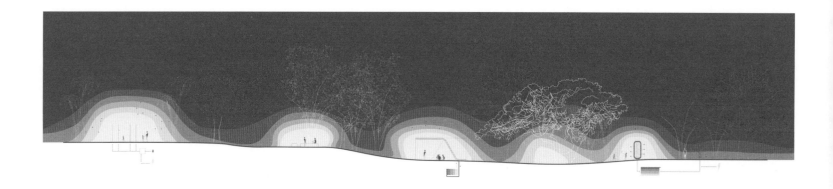

Les avantages du mariage de la technologie et des performances de la nature font l'objet d'une étude de longue haleine sur les 70 hectares du Jade Eco Park. Rahm, qui a piloté l'expérience, déclare : « La chaleur, l'humidité et la pollution caractéristiques de la ville chinoise ont ainsi été les éléments premiers et déterminants de toute la conception du Jade Eco Park. » Il trouve que les Taïwanais passent beaucoup de temps à l'intérieur, dans des espaces climatisés, ce qui les éloigne de la nature. C'est pourquoi la composition de ce parc se fonde sur la réduction de la chaleur, de l'humidité et de la pollution.

Avec des logiciels de modélisation de la dynamique des fluides, l'équipe a commencé par déterminer les zones les plus fraîches, les plus sèches et les moins polluées du futur parc, respectivement appelées "Coolia", "Dryia" et "Clearia" (au total onze zones réparties dans ces trois catégories). Des appareils "climatiques" sont venus amplifier les qualités naturelles de ces zones : des brumisateurs, des ventilateurs et des dispositifs capables de rendre à l'air sa qualité préindustrielle,

alimentés par quelque 5 000 m² de panneaux solaires. La paysagiste Catherine Mosbach a livré la composante végétale du "design climatique" concocté par Rahm. On lui doit entre autres la sélection d'arbres aux propriétés rafraîchissantes, asséchantes et purifiantes, qui sont tous placés à des points stratégiques du parc.

Cet immense parc longe des quartiers différents et reçoit toutes sortes de visiteurs, habitants du voisinage, employés de bureau, ou encore écoliers et touristes. Il a pour ambition de procurer une expérience extraordinaire à chacun d'eux, tout en les sensibilisant aux mécanismes de la nature. Chaque zone est dédiée à des activités adaptées à son climat : détente, lecture, et chat sur Internet dans les zones Coolia ; sport et fitness dans les zones Dryia ; activités en famille dans les zones Clearia. Un musée du changement climatique présente, entre autres, une réplique des conditions météorologiques du 21 novembre, le jour statistiquement le plus sec de l'année à Taïwan.

Le parc est parsemé d'appareils climatiques spécifiques qui assèchent, rafraîchissent ou dépolluent l'air. Leur fonctionnement s'inspire de mécanismes naturels.

Le toit de la Cool Light (lumière froide), dans la zone appelée Coolia, comporte un filtre qui stoppe les ondes longues et chaudes de la lumière solaire.

Une pompe prélève de l'air frais souterrain pour réduire la température extérieure. Les gouttelettes du Cirrus Cloud (nuage cirrus, p. 233, en haut) absorbent la chaleur de l'air avant de s'évaporer. Ce nuage prodigue une ombre équivalente à celle d'un vrai cirrus.

Migrating Floating Gardens

Rael San Fratello

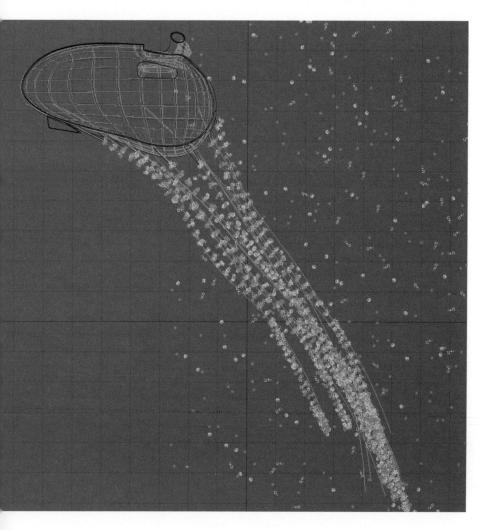

Selon les architectes Ronald Rael et Virginia San Fratello : « La vie moderne et la tendance aux constructions denses et en hauteur ont relégué sur les toitures la verdure, chassée du sol par les bâtiments. » La vogue actuelle des villes plus « vertes » a incité les architectes à repérer de nouveaux sites afin de réintroduire le paysage dans la ville. » Pour ce duo californien, le nouveau terrain propice à la « verdure urbaine » (après les façades et les toits végétalisés), c'est le ciel.

Rael et San Fratello ont imaginé une série de jardins flottants, en partie autonomes et en partie suspendus à des dirigeables dotée d'une peau photovoltaïque et contrôlés à distance. Leurs capteurs intégrés contrôleraient en temps réels la météo, la circulation, la pollution, le bruit et d'autres données pertinentes. Des propulseurs enverraient ces jardins aériens là où ils seraient le plus utiles, les transformant en « ambulances environnementales ». Une flotte de ces dirigeables pourrait atténuer l'effet d'« îlot de chaleur » observé au-dessus de nombreuses villes, mais aussi migrer d'une ville et d'une saison à l'autre, pour chercher les conditions climatiques les plus favorables à la vie végétale. La nuit, ils retourneraient à leur base pour « refaire le plein, se réhydrater et recalculer les données acquises ». Équipés de piles à combustibles microbiennes (PCM), ces « paysages aériens » nomades se transformeraient en purificateurs qui consommeraient l'eau des rivières polluées, décomposeraient les polluants et les convertiraient en énergie motrice.

Une étude de faisabilité ne serait pas une mince affaire. Elle impliquerait une équipe multidisciplinaire d'experts en robotique et en horticulture, de constructeurs de dirigeables, de théoriciens de l'intelligence en essaim et de spécialistes de la météo artificielle, mais aussi, très probablement, d'architectes et de paysagistes.

Chaque dirigeable,
dans le concept de jardin
migrateur de Rael San
Fratello, transporte des
milliers de petites plantes
épiphytes équipées
de capteurs. « Contrôlées
par GPS et GIS, les
plantes s'organiseraient
en troupeaux et se
déplaceraient dans
les villes en essaims,
pour les hydrater, donner
de l'ombre, augmenter
l'albédo local et oxygéner
les lieux privés de
verdure », expliquent
les architectes.

Dragonfly

Vincent Callebaut / New York, États-Unis

Les lignes de cette tour bionique s'inspirent des ailes des libellules. D'une finesse et d'une légèreté extrêmes, les membranes transparentes et finement veinées utilisent un minimum de matériaux. La combinaison ingénieuse des zones rigides et flexibles assure aux ailes une performance optimale leur permettant de soutenir le corps bien plus lourd de l'insecte.

« Ce qui m'intéresse dans les fermes verticales, déclare Vincent Callebaut, c'est leur aptitude à réunir des modèles ruraux et urbains du XXIe siècle dans une sorte d'architecture métabolique qui produit de la chaleur, de l'électricité et des aliments. »

En 2009, l'architecte a dressé les plans de ce projet pour l'île Roosevelt, à New York. Cette tour, censée fonctionner 24 heures sur 24, sept jours sur sept, devrait réunir des bureaux, des appartements, des laboratoires de recherche et une exploitation agricole. Des plantations sur plusieurs étages garniront des serres, en sandwich entre deux façades, entièrement vitrées qui les protègent des excès du climat new-yorkais, tout en favorisant l'éclairage naturel. Les bureaux et les appartements seront regroupés à l'intérieur de l'ossature, qui entoure le cœur de l'immeuble voué à la production alimentaire. Les deux façades étroites produiront l'électricité de cette tour autonome : la façade sud, sorte de proue, accueillera les capteurs solaires, tandis que des éoliennes sur la face nord exploiteront l'énergie des vents dominants. Les jardins verticaux (qui recyclent naturellement les eaux grises de la tour) couvriront les deux façades larges. Ils seront plantés de plantes xérophiles côté Manhattan et d'espèces tropicales pour ceux donnant sur Long Island, qui bénéficieront d'une atmosphère plus humide.

Rising Ryde

Architensions / Ryde, Australie

Selon les architectes Alessandro Orsini et Nick Roseboro, de l'agence américaine Architensions, leur projet sélectionné pour le Ryde Civic Hub (qui remplacera le centre administratif vieillissant d'une banlieue de Sidney), se veut un « quartier vertical » plutôt qu'un ensemble d'immeubles.

Les équipements, les logements et les commerces se côtoieront dans le nouveau centre, ainsi qu'une place publique à laquelle le cahier des charges attache une grande importance. Cette multiplicité des fonctions est au cœur du projet d'Architensions. Fondé sur l'idée que « l'architecture est un organisme vivant », rempli de microcellules qui se combinent pour aboutir à « l'échelle macro de la ville », le projet réunit l'architecture et le paysage dans une trame spatiale et transparente, dont les profilés structurels en acier soutiennent les niveaux, les circulations et la toiture végétalisée. Partout des espaces de sociabilité ont été prévus. Les architectes parlent d'une vaste place publique qui part du sol pour s'élever dans les étages, à travers une succession de jardins verticaux et de plates-formes d'observation. Bien qu'entouré de rues, le centre s'agrémente d'un « paysage insonorisant » qui fait oublier le bruit de la circulation. Sa masse se transforme en écran antibruit, les parties résidentielles sont à l'écart de la façade la plus bruyante, la végétation et les pièces d'eau laissent entendre des sons naturels qui en occultent de moins agréables.

Les ingénieurs en génie climatique de Transsolar ont mis au point plusieurs stratégies environnementales pour ce site. La structure poreuse, par exemple, favorise une ventilation naturelle qui rafraîchit la tour, tandis que l'irrigation par gravité et le système de récupération des eaux pluviales assurent l'autonomie des jardins en gradins garnis de plantes résistantes à la sécheresse.

Paris Smart City 2050

Vincent Callebaut / Paris, France

Quand il parle d'« archibiotique », Vincent Callebaut pense à la fusion entre architecture, biologie et technologies de l'information, pour édifier des villes hyper-connectées qui fonctionneront comme des écosystèmes naturels, sans pollution ni déchets. Dans un certain sens, il cherche à donner une forme architecturale au concept de troisième révolution industrielle de l'économiste et sociologue américain Jeremy Rifkin. Pour Rifkin, chaque bâtiment devrait se transformer en centrale électrique et être raccordé à un réseau intelligent de partage de l'énergie.

Callebaut, à qui le Conseil de Paris avait demandé de trouver les moyens de densifier le tissu urbain tout en réduisant les émissions de gaz à effet de serre de 75 % d'ici 2050, selon l'objectif que s'est fixé la capitale, s'est associé aux experts en ingénierie bioclimatique de Setec pour plancher sur huit projets de « ville intelligente ». Mais comment faire quand il n'est pas possible de partir de zéro, comme à Songdo en Corée du Sud ou Masdar à Abou Dhabi ?

Les Photosynthesis Towers (page ci-contre, en haut) entoureront la tour Montparnasse d'une rampe hélicoïdale verdoyante et piézoélectrique, ainsi que deux immeubles voisins qui seront ajoutés. Dans ce parc public de 58 étages, les pas des promeneurs seront convertis en électricité. Sur les nouvelles façades, des photo-bioréacteurs favoriseront la culture de micro-algues, source de biocarburant.

Aux Bamboo Nest Towers (page ci-contre, en bas), un « éco-squelette » tri-dimensionnel en bambou tressé enveloppera treize tours résidentielles des années 1960. Cette structure supportera le poids des balcons potagers et s'évidera pour faire place aux éoliennes.

Convaincu qu'un traitement muséal des vieux quartiers parisiens nuirait à l'avenir de la capitale, Callebaut a élaboré des stratégies révolutionnaires, respectueuses du passé mais résolument ouvertes aux idées neuves. Il propose, par exemple, de greffer des extensions sur l'existant, ce qui livrerait des hybrides à haute efficacité énergétique, mélanges de neuf et d'ancien, de nature et de numérique, qui amélioreraient la qualité de la vie dans la ville de plus en plus saturée.

Les concepts de Callebaut mêlent des notions historiques, modernes et complètement futuristes. Il envisage entre autres de poser sur les immeubles à arcades de la célèbre rue de Rivoli (p. 243) ses Mountain Towers, dont les façades cristallines seront équipées de capteurs solaires. L'énergie résultante sera stockée dans un système hydroélectrique qui fera circuler l'eau entre deux cuves de rétention. Et des « balcons jardins », plantés d'espèces potagères et fruitières, réduiront l'effet « îlot de chaleur ».

Les Farmscrapers (ci-contre, haut et bas) sont des fermes verticales destinées à un nouveau quartier dans le nord de Paris. À califourchon sur le périphérique, ces empilements de modules aux formes organiques combineront logements et cultures vivrières. Cette solution structurelle novatrice a été développée pour une tour résidentielle désormais en cours de construction à Taipei, sur l'île de Taïwan.

Les Mangrove Towers (page précédente), qui s'inspirent des écosystèmes des mangroves, devraient enjamber les zones actuellement sous-exploitées des gigantesques emprises ferroviaires parisiennes. Sur les façades de ces tours bioniques, des capteurs solaires Grätzel convertissent le rayonnement solaire en électricité par un processus similaire à la photosynthèse.

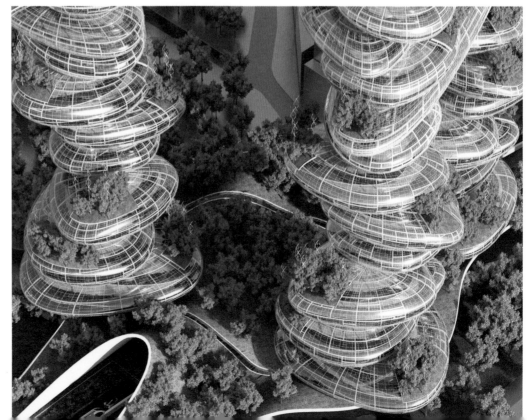

X SEA TY & Fresh City

XTU Architects

Ces projets conceptuels de l'agence XTU Architects imaginent une relation symbiotique entre architecture, nature et technologie, permettant d'apporter une solution aux problèmes urbains tels qu'une pollution élevée, le grignotage des terres agricoles et le manque de connection des citadins avec la nature. Réintroduire celle-ci dans des métropoles par le "verdissement" de ses façades pose des problèmes inévitables de maintenance. Les architectes estiment que des façades productives permettent de compenser le coût de l'entretien.

Leur X SEA TY (à gauche et page ci-contre, en haut) est une sorte d'« utopie offshore » pour une métropole du littoral asiatique. Construite sur l'eau, cette ville-satellite comporte deux types de bâtiments. Les façades alvéolées des tours résidentielles sont en "béton vert", ce qui en fait des photo-bioréacteurs. Intégrés dans les murs-rideaux des tours résidentielles, ils exploitent l'abondante lumière solaire pour produire, par photosynthèse, des micro-algues.

Fresh City (page ci-contre, en bas) est un modèle urbain alternatif pour une zone « difficile » dans le Sud-Est de la France, caractérisée par un climat chaud et des inondations. Les constructions sur pilotis laissent le sol à la disposition de la flore et de la faune. Leurs façades sont soit en "béton vert" qui purifie l'air, soit équipées de photo-bioréacteurs produisant des micro-algues. La biomasse récoltée est une source d'énergie, qui assure l'autonomie de la ville. Comme nous l'avons vu, l'agence XTU est en train de concrétiser certaines de ces idées, notamment les biofaçades et le béton vert (voir p. 204-207 et p. 214-215).

Crédits des projets

White Walls - Tower 25 [12]
Statut : construit (2015)
Programme : logements, bureaux, commerces
Maîtrise d'ouvrage : Nice Day Developments
Maîtrise d'œuvre : Ateliers Jean Nouvel
Architectes locaux : Takis Sophocleous Architects
Ingénieurs civils structure : KAL
Ingénierie : K. Lissandros

25 Green [15]
Statut : construit (2013)
Programme : logements
Maîtrise d'ouvrage : Gruppo Corazza,
Maina Costruzioni, DE-GA
Architecte : Luciano Pia
Ingénieur civil structure : Giovanni Vercelli
Ingénieur énergie : Andrea Cagni
Consultants paysagisme : Lineeverdi
(Stefania Naretto, Chiara Otella)
Entreprise générale : DE-GA

House for Trees [18]
Statut : construit (2014)
Programme : résidence familiale
Maîtrise d'ouvrage : particulier
Architecte : Vo Trong Nghia Architects
Entreprise générale : Wind and Water House JSC

One Central Park [22]
Statut : construit (2014)
Programme : logements, commerces
Maîtrise d'ouvrage : Frasers Property Australia
et Sekisui House Australia
Maîtrise d'œuvre : Ateliers Jean Nouvel
Architecte local : PTW Architects
Paysage : Ewen Le Ruic, Irene DjaoRakitine,
Celine Aubernias
Ingénieurs civils structure : Aedis (Davor Grgic)
Ingénieurs énergie : Transsolar (Matthias Schuler)
Consultant murs végétaux : Patrick Blanc
Consultant paysage : Jean-Claude Hardy
Consultant bacs horizontaux : Aspect Oculus
Héliostat : Kennovations (conception), Device
Logic (programmation), Yann Kersale (lumières)
Entreprise générale : Watpac Construction
(Nouvelles Galles du Sud)

Waterloo Youth Centre [24]
Statut : construit (2012)
Programme : local d'équipements collectifs
Maîtrise d'ouvrage : ville de Sydney, Weave Youth
Family Community
Architecte : Collins and Turner
Ingénieurs civils structure : Arup
Ingénieurs environnement : Team Catalyst
Consultants paysagisme : Terragram
Entreprise générale : Projectcorp

House K [28]
Statut : construit (2012)
Programme : résidence familiale
Maîtrise d'ouvrage : particulier
Architecte : Sou Fujimoto Architects
Ingénieurs civils structure : Jun Sato,
Kenichi Inoue
Consultant paysage : Furukawateijuen
(Motokazu Furukawa)
Entreprise générale : Okuoka Koumuten

Stone House [32]
Statut : construit (2012)
Programme : résidence familiale
Maîtrise d'ouvrage : particulier (M. Dinh Hoang Lien)
Architecte : Vo Trong Nghia Architects
Entreprise générale : Wind and Water House JSC

The Mountain [34]
Statut : construit (2007)
Programme : logements, garage à étages
Maîtrise d'ouvrage : Høpfner, Dansk Olie Kompagni
Architecte : BIG - Bjarke Ingels Group
Collaborateurs : Plot, JDS, Moe & Brødsgaard

Tree Storey [38]
Statut : en chantier
Programme : logements
Maîtrise d'ouvrage : Pooja Crafted Homes
Architecte : Penda Architecture & Design

Hualien Residences [42]
Statut : en chantier (appartement modèle
construit en 2015)
Programme : résidences de vacances
Maîtrise d'ouvrage : TLDC - Taiwan Land
Development Corporation
Architecte : BIG - Bjarke Ingels Group
Collaborateurs : RJ Wu, Arup

Stacking Green [44]
Statut : construit (2011)
Programme : maison familiale
Maîtrise d'ouvrage : particulier
Architecte : Vo Trong Nghia Architects
Entreprise générale : Wind and Water House JSC

L'Immeuble qui pousse [46]
Statut : construit (2000)
Programme : logements
Maîtrise d'ouvrage : Michel Troncin
Architectes : Maison Édouard François ; Duncan
Lewis - Scape Architecture
Ingénieurs civils structure : Green & Hunt ; Verdier
Entreprise générale : Socamip

**Groupe scolaire des sciences
et de la biodiversité [48]**
Statut : construit (2014)
Programme : école, gymnase et espace vert
Maîtrise d'ouvrage : SAEM Val de Seine
Architecte : Chartier Dalix Architectes
Ingénieurs civils structure : EVP
Ingénieur HQE : Franck Boutté
Consultants écologie : A.E.U.
Consultants biodiversité : Biodiversita
Entreprise générale : Bouygues Ouvrages Publics

**Chambre de Commerce
et d'Industrie de Picardie [50]**
Statut : construit (2012)
Programme : bureaux, auditorium et salle
de spectacle
Maîtrise d'ouvrage : CRCI de Picardie
Architecte : Chartier-Corbasson Architectes
Ingénieurs structure et mécanique : BETOM
Ingénieur HQE : Cap Terre
Ingénieurs façade : VSA

Torque House [54]
Statut : construit (2005)
Programme : résidence familiale et studios
Maîtrise d'ouvrage : particulier (M. Doohyun Lee)
Architecte : Mass Studies
Ingénieurs civils structure : TEO Structure
Consultant paysage : Environmental Design
Studio
Entreprise générale : Hanurim Construction

Boutique Ann Demeulemeester [56]
Statut : construit (2005)
Programme : commerces
Maîtrise d'ouvrage : Handsome Corp.
Architecte : Mass Studies
Ingénieurs civils structure : TEO Structure
Consultants paysagisme : Garden in Forest ;
Vivaria Project
Entreprise générale : Geomang Design

Flytower [61]
Statut : achevé (2007)
Programme : œuvre d'art éphémère
Commanditaire : National Theatre
Artistes : Ackroyd & Harvey

Cunningham [61]
Statut : achevé (2013)
Programme : œuvre d'art éphémère
pour le programme Void Sites
Commanditaire : Void
Artistes : Ackroyd & Harvey

Crédits des projets

Le Jardin de la Diaspora [68]
Statut : construit (2013)
Programme : sculpture paysagère thématique
Maîtrise d'ouvrage : Musée juif de Berlin
Consultants paysagisme : atelier le balto

FLEG Daikanyama [73]
Statut : construit (2005)
Programme : commerces et bureaux
Maîtrise d'ouvrage : FLEG International
Architecte : Taketo Shimohigoshi/A.A.E.
Ingénieurs civils structure : G.DeSIGN General
Entreprise générale : Nishimatsu Construction

Bosco verticale (Forêt verticale) [74]
Statut : construit (2013)
Programme : logements
Maîtrise d'ouvrage : Hines Italia
Architecte : Boeri Studio
Consultants esthétique : Francesco de Felice,
Davor Popovic
Ingénieurs civils structure : Arup Italia
Consultants forêt verticale : Emanuela Borio,
Laura Gatti
Consultants paysagisme : Land

Green Cloud/Panache [78]
Statut : en chantier (achèvement prévu : 2017)
Programme : logements
Maîtrise d'ouvrage : Altarea Cogedim
Architecte : Maison Édouard François
Architecte local : Aktis
Ingénieurs civils structure : CTG

Green Cloud/Gurgaon 71 [78]
Statut : en chantier
Programme : logements
Maîtrise d'ouvrage : Krrish Group
Architecte : Maison Édouard François

The Mile [80]
Statut : projet conceptuel(2016)
Programme : parc de loisirs
Maîtrise d'ouvrage : non révélé
Architecte : Carlo Ratti Associati
Collaborateurs : Schlaich Bergermann & Partner ;
Atmos

The High Line [82]
Statut : achevé (trois phases, de 2009 à 2014)
Programme : parc public
Maîtrise d'ouvrage : partenariat public-privé
entre la municipalité de New York et l'association
Friends of the High Line
Architecte : Diller Scofidio + Renfro
Paysagistes : James Corner Field Operations

(chef de projet) ; Piet Oudolf
Ingénieurs civils structure : BuroHappold
(structure et MEP (mécanique, électricité,
plomberie) ; Robert Silman Associates
(génie civil et conservation)

The Lowline [86]
Statut : en chantier (ouverture prévue : 2020)
Programme : parc public
Architecte : James Ramsey/RAAD Studio
Consultants paysagisme : Mathews Nielsen
Paysagistes : John Mini Distinctive Landscapes ;
Jardin botanique de Brooklyn
Système Remote Skylight : James Ramsey/ RAAD
Studio (concept) ; Sunportal (ingénierie)

Asfalto Mon Amour [90]
Statut : achevé (2013-2014)
Programme : ateliers
Collaborateurs : Coloco ; Labuat ; LUA ;
Scuola del Terzo Paesaggio

Le jardin du Tiers-Paysage [92]
Statut : achevé (2009-2011)
Programme : jardin public paysagé
Collaborateurs : Gilles Clément (concept) ;
Coloco (exécution)

Jardin creux [94]
Statut : construit (2013)
Programme : espaces verts et expositions
Maîtrise d'ouvrage : Département de
l'urbanisme de Beijing - Direction de l'Exposition
d'horticulture
Architecte : Plasma Studio
Collaborateur : Groundlab

Station d'épuration de Croton [96]
Statut : en chantier
Programme : station d'épuration, practice
Maîtrise d'ouvrage : New York City Department
of Environmental Protection
Architecte : Grimshaw Architects
Paysagiste : Ken Smith Workshop
Ingénierie : Hazen Sawyer ; Ammann & Whitney
Consultants toiture végétalisées : Rana Creek
Consultants écologie : Great Ecology

Le Jardin des Fonderies [98]
Statut : achevé (2009)
Programme : jardin public
Maîtrise d'ouvrage : Samoa
Architecte, paysagiste : Doazan+Hirschberger
& Associés
Urbanistes : BTP

Parc MFO [102]
Statut : achevé (2002)
Programme : jardin public
Maîtrise d'ouvrage : Grün Stadt Zürich
Schéma directeur : Planergemeinschaft MFO Park
burkhardtpartner/raderschall
Conception mobilier : Frédéric Dedeley

House Before House [110]
Statut : construit (2009)
Programme : maison modèle pour le projet
Sumika
Maîtrise d'ouvrage : Tokyo Gas
Architecte : Sou Fujimoto Architects

Stone Garden [114]
Statut : en chantier
Programme : logements, bureaux et galerie d'art
Maîtrise d'ouvrage : Fouad El Khoury, A&H, Red
Architecte : Lina Ghotmeh - Architecture
(ancien DGT)
Architecte local : Batimat

Siu Siu [116]
Statut : construit (2014)
Programme : showroom et espace événementiel
Maîtrise d'ouvrage : Divooe Zein Architects
Architecte : Divooe Zein Architects

Optical Glass House [120]
Statut : construit (2012)
Programme : résidence familiale
Maîtrise d'ouvrage : particulier
Architecte : Hiroshi Nakamura & NAP
Ingénieur civil structure : Yasushi Moribe
Entreprise générale : Imai Corporation

Bâtiment d'enseignements mutualisés [124]
Statut : en chantier (achèvement prévu : 2018)
Programme : Bâtiment d'enseignement
Maîtrise d'ouvrage : École Polytechnique
Paris-Saclay
Architectes : Sou Fujimoto Architects, Manal
Rachdi OXO Architects, Laisné Roussel
Ingénieur et consultants HQE : Franck Boutté
Consultants paysagisme : MOZ Paysage
Entreprise générale : Egis Bâtiments

Maison N [128]
Statut : construit (2008)
Programme : résidence familiale
Maîtrise d'ouvrage : particulier
Architecte : Sou Fujimoto Architects
Ingénieur civil structure : Jun Sato

Bathyard Home [133]
Statut : construit (2008)
Programme : rénovation d'un appartement
Maîtrise d'ouvrage : particulier
Architecte : Husos Architects
Ingénieurs structure : Mecanismo
et Eugenio Cuesta
Construction : Atipical (Daniel Jabonero)
et Husos (Camilo García)

Maison de Saïgon [136]
Statut : construit (2015)
Programme : résidence familiale
Maîtrise d'ouvrage : particulier (Mme Du)
Architecte : a21studio
Entreprise générale : 68 Construction

Maison à Moriyama [140]
Statut : construit (2009)
Programme : résidence familiale
Maîtrise d'ouvrage : particulier
Architecte : Suppose Design Office

Cut Paw Paw [145]
Statut : construit (2014)
Programme : résidence familiale
Maîtrise d'ouvrage : particulier
Architecte : Austin Maynard Architects
Ingénieurs : Maurice Farrugia and Associates
Construction : Marc Projects

Taitung Ruin Academy [148]
Statut : construit (2014)
Programme : ateliers, espaces événementiels
et de détente dans un bâtiment industriel
abandonné
Maîtrise d'ouvrage : gouvernement du comté
de Taitung
Architecte : Casagrande Laboratory
Consultants horticulture : Mei-Hsiu Wang,
Ding-Yong Lin

Extreme Nature [152]
Statut : achevé (2008)
Programme : pavillon japonais pour la Biennale
de Venise
Maîtrise d'ouvrage : Taro Igarashi, commissaire
du pavillon japonais à la Biennale de Venise
Architecte : Junya Ishigami+Associates
Ingénieur structure : Jun Sato
Consultant paysage : Hideaki Oba

House with Plants [154]
Statut : construit (2012)
Programme : résidence familiale
Maîtrise d'ouvrage : particulier
Architecte : Junya Ishigami+Associates

Atelier Tenjinyama [158]
Statut : construit (2011)
Programme : bureau et habitation
Maîtrise d'ouvrage : particulier
Architecte : Takashi Fujino - Ikimono Architects
Ingénieurs civils structure : Akira Suzuki/ASA
Consultants paysagisme : ACID NATURE 0220
Entreprise générale : Kenchikusha Shiki

Harmonia 57 [166]
Statut : construit (2008)
Programme : résidences pour artistes
Maîtrise d'ouvrage : particulier
Architecte : Triptyque Architecture
Ingénieurs civils structure : Rika (Rioske Kanno)
Ingénieur hydraulique : Guilherme Castanha
Consultant paysage : Peter Webb
Entreprise générale : BGF ; Aparecido Donizete
Dias Flausino

Mur AMPS [170]
Statut : première application, au Centre d'appels
de secours du Bronx (2016)
Programme : mur végétal purifiant l'air intérieur
Développé par : Center for Architecture, Science
and Ecology (CASE) - Skidmore, Owings & Merrill
(SOM) et Rensselaer Polytechnic Institute

Drivhus [173]
Statut : projet lauréat d'un concours
Programme : bureaux, salle de conférence,
espace d'exposition, café sur le toit
Maîtrise d'ouvrage : conseil municipal
de Stockholm
Architectes : SelgasCano ; Urban Design
Paysagiste : Land Arkitektur
Consultants civils structure, énergie et HQE :
Sweco

Eden Bio [175]
Statut : construit (2009)
Programme : logements sociaux, ateliers d'artistes
Maîtrise d'ouvrage : Paris Habitat
Architecte : Maison Édouard François
Ingénieurs : BETOM Ingénierie

M6B2 Tour de la biodiversité [179]
Statut : construit (2016)
Programme : logements, crèche, commerces
Maîtrise d'ouvrage : Paris Habitat OPH
Architecte : Maison Édouard François
Ingénieurs : Arcoba (superstructure), Arcadis
(infrastructure)
Consultants paysagisme : BASE (paysagisme) ;
École du Breuil (partenariat végétation)

Tour végétale pour Nantes [179]
Statut : projet pour un concours (2009)
Programme : logements, bureaux, commerces
Maîtrise d'ouvrage : Groupe OCDL Giboire
Architecte : Maison Édouard François
Ingénieurs : CERA Ingénierie

Host & Nectar Garden Building [182]
Statut : construit (phase 1 en 2006, phase 2
en 2012)
Programme : logements, manufacture de textile,
commerces
Maîtrise d'ouvrage : Taller Croquis
Architecte : Husos Architects, avec la
participation de la communauté locale
Consultants civils structure : Diego Gómez,
Ángela María Ramírez Agronomy et consultants
entomologie : Fundación Zoológico de Cali,
Douglas Laing (spécialiste ingénierie agriculture
tropicale), Lorena Ramírez (biologiste, Université
de Valle), Luis M. Constantino (biologiste,
entomologiste, chercheur associé au Cenicafé
(Centre national de recherches sur le café),
Ricardo A. Claro (biologiste, entomologiste,
Université nationale de Colombie), José Martín
Cano (biologiste, entomologiste, Université
autonome de Madrid), María García, Manuel
Salinas, Julián Velásquez

Réalimenter Masséna [186]
Statut : projet lauréat (achèvement prévu : 2018)
Programme : alimentation et culture, logements,
bureaux, atelier, commerces, salles de concert et
de spectacle
Maîtrise d'ouvrage : Hertel
Architecte : Lina Ghotmeh - Architecture
Partenaires : ADC + VIRGIL (participation de
la communauté) ; AgroParisTech (recherche
et développement) ; Alimentation Générale
(animation culture alimentaire) ; Engie Ineo
(innovation technologique) ; La Ruche qui dit Oui
(marché, ateliers) ; Magda Danysz Gallery (galerie
de street art) ; NQ13 (association de quartier) ;
Polychrone (musiques du monde) ; Sous les
Fraises (agriculture urbaine)
Ingénieurs civils structure et façade :
Bollinger + Grohmann
Consultants HQE : Elan Environnement

Ferme urbaine de Pasona [190]
Statut : construit (2010)
Programme : bureaux, agriculture urbaine
Maîtrise d'ouvrage : Groupe Pasona
Architecte : Kono Designs
Ingénieurs civils structure : Kajima Corporation
Consultants paysage et agriculture : Green Wise
General
Entreprise générale : Taisei Corporation
(extérieur), Nomura (intérieur)

Crédits des projets

Fermes verticales [194]
Statut : projet de recherche (2005-2012)
Programme : étude de cas et analyse critique
pour exploitations agricoles en milieu urbain
dense
Architecte : SOA Architectes

Tour maraîchère [198]
Statut : projet lauréat (achèvement prévu : 2018)
Programme : serre verticale urbaine
Maîtrise d'ouvrage : OPH Romainville Habitat
Architecte : ilimelgo, Secousses
Ingénieurs civils structure : Scoping
Ingénieurs HQE : Étamine
Consultants agronomie : Terr'eau Ciel
Consultants paysagisme : Land'Act

Plantagon [201]
Statut : en chantier
Programme : serre verticale urbaine industrielle
Maîtrise d'ouvrage : Plantagon International
Architecte : Sweco

Biofaçade (In Vivo) [204]
Statut : projet lauréat
Programme : logements, culture de micro-algues,
commerces, ateliers
Maîtrise d'ouvrage : BPD Marignan, Groupe SNI
Architecte : XTU Architects, MU Architecture
Développement biofaçade : SymBIO2
Consultants ingénierie : ATEC Ingénierie
Consultants HQE : OASIIS
Collaborateurs : Centre Michel Serres (innovation
interdisciplinaire) ; Collectif Babylone (agriculture
urbaine) ; Groupe AlgoSource (production et
transformation de micro-algues) ; Le Mur (art
urbain) ; Mon P'ti Voisinage (site de proximité) ;
Pharm'Alg (recherche médicale sur les micro-
algues) ; La Paillasse (laboratoire de recherche)

Rising Canes [212]
Statut : concept et prototype (en chantier)
Fonction : système structurel
Développé par : Penda Architecture & Design

Béton vert [215]
Statut : produit
Fonction : matériau de construction
Développé par : XTU Architects

Urban Algae Follies [216]
Statut : prototype, pavillon et sculpture
(en chantier)
Programme : équipements urbains intégrés
pour la production de micro-algues
Architecte : ecoLogicStudio
Partenaire à l'EXPO 2015 : Carlo Ratti Associati
Systèmes numériques responsifs : Alt N - Nick
Puckett

Ingénieurs civils structure : Mario Segreto, Nicola
Morda (EXPO 2015) ; Format Engineers (Braga)
ETFE Entreprise générale : Taiyo Europe

H.O.R.T.U.S. [220]
Statut : installation et sculpture bio-numérique
(en chantier)
Programme : sculpture bio-numérique
photosensible
Développé par : ecoLogicStudio

Bryophyte Building [223]
Statut : projet conceptuel (2009-2013)
Programme : façade revêtue de mousse
dépolluante
Architecte : Faulders Studio
Collaborateur : Eppley Laboratory ;
Portland State University

Hydrophile [224]
Statut : projet conceptuel (2010)
Programme : Centre suédois de l'innovation en
bio-sciences et toit végétalisé hydrodynamique
Financement : Conseil suédois de la recherche
Architectes : Servo Los Angeles, Servo Stockholm
Consultant toit végétalisé et écologie :
Tobias Emilsson
Collaborateurs : Institut d'architecture du KTH,
Hanna Erixon, Lars Marcus, William Mohline,
Jonah Fritzell

Vector Interference [227]
Statut : projet conceptuel (2014)
Programme : institut d'études
Maîtrise d'ouvrage : Institut royal de technologie
de Stockholm (KTH)
Architecte : Servo Stockholm, Servo Los Angeles,
Institut d'architecture du KTH - Architecture
Design Research Group
Ingénieur civil structure : Oliver Tessmann
Systèmes énergie : KTH ABE Civil and
Architectural Engineering
Consultant matières premières forestières :
Innventia
Consultant toit végétalisé et écologie :
Tobias Emilsson

breathe.austria [228]
Statut : construit (2015)
Programme : pavillon d'exposition
Maîtrise d'ouvrage ; ministère fédéral des
Sciences, de la Recherche et de l'Économie,
Autriche / Chambre fédérale de l'économie
Maîtrise d'œuvre : terrain: architectes et
paysagistes BDA
team.breathe.austria: terrain: architectes
et paysagistes BDA - Klaus K. Loenhart en
collaboration avec Agency in Biosphere - Markus
Jeschaunig ; Hohensinn Architektur ZT GmbH

- Karlheinz Boiger ; LANDLAB ; i_a&l ; TU-
Graz - Andreas Goritschnig et Bernhard König ;
Lendlabor Graz - Anna Resch et Lisa Enzenhofer
et Alexander Kellas ; Engelmann Peters Engineers
- Stefan Peters ; Transsolar - Wolfgang Kessling ;
BOKU Wien IBLB - Bernhard Scharf ; Büro
Auinger - Sam Auinger

Jade Eco Park [232]
Statut : achevé (2017)
Programme : parc public et espaces de loisirs,
installations climatiques, musée
Maîtrise d'ouvrage : municipalité de Taichung
Architecte : Philippe Rahm Architectes
Architecte local : Ricky Liu & Associates
Paysagiste : Mosbach Paysagistes

Migrating Floating Gardens [236]
Statut : projet conceptuel (2007)
Programme : espaces verts mobiles pour contrôle
climatique et purification de l'air
Architecte : Rael San Fratello

Dragonfly [238]
Statut : projet conceptuel (2009)
Programme : logements, bureaux, ferme urbaine
Architecte : Vincent Callebaut Architectures

Rising Ryde [240]
Statut : projet retenu (2016)
Programme : centre administratif, logements,
commerces et espaces publics extérieurs
Architecte : Architensions
Ingénieur génie climatique : Transsolar
Génie civil : Format

Paris Smart City 2050 [242]
Statut : projet d'anticipation (2014-2015)
Programme : huit prototypes de tours à énergie
positive fondées sur des immeubles anciens,
modernes et neufs
Maîtrise d'ouvrage : Conseil de Paris
Architecte : Vincent Callebaut Architectures
Développement durable : Setec

X SEA TY [246]
Statut : projet conceptuel (2010)
Programme : plan urbanistique durable
pour grandes villes côtières
Architecte : XTU Architects

Fresh City [246]
Statut : projet conceptuel (2010)
Programme : plan urbanistique durable pour
une zone aux conditions climatiques difficiles
Architecte : XTU Architects

Architectes

a21 studio
www.a21studio.com.vn
Ho Chi Minh-Ville, Viêtnam / Tél : +84 8 3841 1604
Projet : Saigon House **136**

A.A.E./Taketo Shimohigoshi
www.aae.jp
Tokyo, Japon / Tél : +81 3 6433 5633
Projet : FLEG Daikanyama **73**

Architensions
architensions.com
Brooklyn, New York / Tél : +1 917 438 6831
Projet : Rising Ryde **241**

Ateliers Jean Nouvel
www.jeannouvel.com
Paris, France / Tél : +33 1 49 23 83 83
Projets : White Walls - Tower 25 **12** ;
One Central Park **22**

Atmos
www.atmosstudio.com
Londres, Royaume-Uni / Tél : +44 7815 040619
Projet : The Mile **81**

Austin Maynard Architects
www.maynardarchitects.com
Melbourne, Australie / Tél : +61 3 9481 5110
Projet : Cut Paw Paw **145**

BIG - Bjarke Ingels Group
www.big.dk
Valby, Danemark / Tél : +45 7221 7227
New York City, New York / Tél : +1 347 549 4141
Projets : The Mountain **34** ;
Hualien Residences **42**

Boeri Studio
www.stefanoboeriarchitetti.net
Milan, Italie / Tél : +39 0255014101
Projet : Bosco verticale (Forêt verticale) **74**

Burkhardt+Partner
www.burckhardtpartner.ch
Bâle, Suisse / Tél : +41 61 338 34 34
Projet : Parc MFO **102**

Carlo Ratti Associati
www.carloratti.com
Turin, Italie / Tél : +39 011 1969 4270
Projet : The Mile **81**

Casagrande Laboratory
www.casagrandelaboratory.com
Helsinki, Finlande / Tél : +358 40 0270 752
Projet : Ruin Academy Taitung **148**

Chartier-Corbasson Architectes
chartcorb.free.fr
Paris, France / Tél : +33 1 48 01 02 98
Projet : Chambre de Commerce et d'Industrie
de Picardie **50**

Chartier Dalix Architectes
chartier-dalix.com
Paris, France / Tél : +33 1 43 57 79 14
Projet : Groupe scolaire des Sciences
et de la Biodiversité **48**

Collins and Turner
www.collinsandturner.com
Surry Hills, Sydney, Australie /
Tél : +61 2 9356 3217
Projet : Waterloo Youth Centre **24**

Diller Scofidio + Renfro
www.dsrny.com
New York, États-Unis / Tél : +1 212 260 7971
Projet : The High Line **82**

Divooe Zein Architects
www.divooe.com.tw
Taipei, Taiwan / Tél : +886 2 2881 1809
Projet : Siu Siu **116**

Doazan+Hirschberger & Associates
www.doazan-hirschberger.com
Bordeaux, France / Tél : +33 5 56 44 10 20
Projet : Le Jardin des Fonderies **98**

EcoLogicStudio
www.ecologicstudio.com
Londres, Royaume-Uni / Tél : +44 7746 012757
Projets : Urban Algae Farms **216**
H.O.R.T.U.S. **220**

Faulders Studio
www.faulders-studio.com
Oakland, États-Unis / Tél : +1 510 693 0013
Projet : Bryophyte Building **223**

Grimshaw Architects
grimshaw-architects.com
New York, États-Unis / Tél : +1 646 293 3600
Londres, Royaume-Uni / Tél : +44 207 291 4141
Doha, Qatar / Tél : +974 4452 8962
Melbourne, Australie / Tél : +61 3 9321 2600
Sydney, Australie / Tél : +61 2 9253 0200
Projet : Station d'épuration de Croton **96**

Hiroshi Nakamura & NAP Architects
www.nakam.info
Tokyo, Japon / Tél : +81 3 6805 4051
Projet : Optical Glass House **120**

Hohensinn Architektur
www.hohensinn-architektur.at
Graz, Autriche / Tél : +43 316 811188
Projet : breathe.austria **228**

Husos Architects
www.husos.info
Madrid, Espagne / Tél : +34 912217423
Projets : Bathyard Home **133** ;
Host & Nectar Garden Building **182**

ilimelgo Architectes
ilimelgo.com
Paris, France / Tél : +33 1 43 38 79 46
Projet : Tour maraîchère **198**

Junya Ishigami & Associates
www.jnyi.jp
Tokyo, Japon / Tél : +81 3 6277 6642
Projets : Extreme Nature **152** ;
House with Plants **155**

Kono Designs
www.konodesigns.com
New York, États-Unis / Tél : +1 212 674 8664
Projet : Siège de Pasona **190**

Laisné Roussel
www.laisneroussel.com
Montreuil, France / Tél : +33 1 42 87 18 23
Projet : Bâtiment d'enseignements mutualisés **124**

Lina Ghotmeh - Architecture
www.linaghotmeh.com
Paris, France / Tél : +33 1 43 38 12 47
Projets : Stone Gardens **115** ;
Réalimenter Masséna **186**

Luciano Pia
www.lucianopia.it
Turin, Italie
Projet : 25 Green **15**

Maison Édouard François
edouardfrancois.com
Paris, France / Tél : +33 1 45 67 88 87
Projets : L'Immeuble qui pousse **46** ;
Green Cloud (Panache et Gurgaon 71) **78** ;
Eden Bio **175** ;
Tours de la biodiversité (M6B2 et Tour végétale
pour Nantes) **179**

Manal Rachdi OXO Architectes
www.oxoarch.com
Paris, France / Tél : +33 1 43 62 78 80
Projet : Bâtiment d'enseignements mutualisés **124**

Mass Studies
www.massstudies.com
Séoul, Corée / Tél : +82 2 790 6528/9
Projets : Torque House **54** ;
Boutique Ann Demeulemeester **56**

Architectes

MU Architecture
mu-architecture.fr
Paris, France / Tél : +33 9 52 00 43 91
Tours, France / Tél : +33 2 47 39 37 07
Projet : In Vivo **204**

Penda Architecture & Design
www.home-of-penda.com
Beijing, Chine / Tél : +86 186 1068 6452
Projets : Tree Storey **38** ;
Rising Canes **212**

Philippe Rahm Architectes
www.philipperahm.com
Paris, France / Tél : +33 1 49 26 91 55
Projet : Jade Eco Park **232**

Plantagon
www.plantagon.com
Stockholm, Suède / Tél : +46 8 410 165 60
Shanghai, Chine / Tél : +86 21 6598 2200
Mumbay, Inde / Tél : +91 99 30 44 66 99
Singapour / Tél : +65 842 300 93
Projet : Plantagon **201**

Plasma Studio
www.plasmastudio.com
Londres, Royaume-Uni / Tél : +44 207 812 9875
Beijing, Chine / Tél : +86 10 8438 8979
Bolzano, Italie / Tél : +39 0474 710435
Hong Kong / Tél : +852 9671 9773
Projet : Sunken Garden **94**

PTW Architects
www.ptw.com.au
Sydney, Australie / Tél : +61 2 9232 5877
Beijing, Chine / Tél : +86 10 8571 2635
Shanghai, Chine / Tél : +86 21 6335 1100
Shenzhen, Chine / Tél : +86 150 2663 969
Ho Chi Minh-Ville, Viêtnam / Tél : +84 8 3931 8779
Hanoi, Viêtnam / Tél : +84 4 3974 4252
Taipei, Taiwan / Tél : +886 2 2522 1882
Projet : One Central Park **22**

Raad Studio
raadstudio.com
New York, États-Unis / Tél : +1 212 254 5490
Projet : The Lowline **86**

Rael San Fratello
www.rael-sanfratello.com
Oakland, États-Unis / Tél : +1 510 907 9967
Projet : Migrating Floating Gardens **236**

Ricky Liu & Associates
www.rickyliu.com.tw
Taipei, Taiwan / Tél : +886 2 2719 9633
Projet : Jade Eco Park **232**

Secousses
www.secousses.com
Paris, France / Tél : +33 9 51 28 80 42
Projet : Tour maraîchère **198**

SelgasCano
www.selgascano.net
Madrid, Espagne / Tél : +34 91 307 6481
Projet : Drivhus **173**

Servo
www.servo-la.com, www.servo-stockholm.com
Los Angeles, États-Unis, et Stockholm, Suède
Projets : Hydrophile **224** ;
Vector Interference **227**

SOA Architectes
www.soa-architectes.fr
Paris, France / Tél : +33 1 42 62 18 11
Projet : Fermes verticales **194**

SOM - Skidmore, Owings & Merrill
www.som.com
New York, États-Unis ; Chicago, États-Unis ; San
Francisco, États-Unis ; Washington, États-Unis /
Tél : +1 866 269 0883
Los Angeles, États-Unis / Tél : +1 213 327 2400
Londres, Royaume-Uni / Tél : +44 207 798 1000
Hong Kong / Tél : +852 2810 6011
Shanghai, Chine / Tél : +86 21 5466 6888
Projet : AMPS Wall **170**

Sou Fujimoto Architects
www.sou-fujimoto.net
Tokyo, Japon / Tél : +81 3 3513 5401
Projets : House K **28** ;
House Before House **110** ;
Bâtiment d'enseignements mutualisés **124** ;
House N **128**

Suppose Design Office
www.suppose.jp
Hiroshima, Japon / Tél : +81 82 961 3000
Projet : Maison à Moriyama **140**

Sweco
www.sweco.se
Stockholm, Suède
Projets : Drivhus **173** ;
Plantagon **201**

Takashi Fujino/Ikimono Architects
sites.google.com/site/ikimonokenchiku/home
Takasaki, Japon
Projet : Atelier Tenjinyama **158**

Takis Sophocleous Architects
sophocleous.net
Larnaka, Chypre / Tél : +357 24 624988
Projet : White Walls - Tower 25 **12**

terrain:
terrain.de
Graz, Autriche / Tél : +43 316 838 699
Munich, Allemagne / T : +49 89 92638297
Projet : breathe.austria **228**

Triptyque Architecture
triptyque.com
São Paolo, Brésil / Tél : + 55 11 3081 3565
Paris, France / Tél : + 33 1 75 43 42 16
Projet : Harmonia 57 **166**

Urban Design
www.urbandesign.se
Stockholm, Suède
Projet : Drivhus **173**

Vincent Callebaut Architectures
vincent.callebaut.org
Paris, France
Projets : Dragonfly **238** ;
Paris Smart City 2050 **242**

Vo Trong Nghia Architects
votrongnghia.com
Ho Chi Minh-Ville, Viêtnam /
Tél : +84 8 3829 7763
Projets : House for Trees **18** ;
Stone House **32** ;
Stacking Green **44**

XTU Architects
www.x-tu.com
Paris, France / Tél : +33 1 45 23 37 10
Projets : Biofaçades (In Vivo) **204** ;
Béton vert **215** ;
X SEA TY, Fresh City **246**

Paysagistes et artistes

Ackroyd & Harvey
www.ackroydandharvey.com
Dorking, Surrey, Royaume-Uni
Projets : Flytower ; Cunningham **61**

atelier le balto
lebalto.de
Berlin, Allemagne / Tél : +49 30 2804 7350
Projet : Le Jardin de la Diaspora **68**

Base
www.baseland.fr
Paris, France / Tél : +33 1 42 77 81 81
Lyon, France / Tél : +33 4 81 91 60 87
Bordeaux, France / Tél : +33 5 47 74 49 20
Projet : Tour de la biodiversité M6B2 **179**

Coloco
coloco.org
Paris, France / Tél : +33 1 40 02 09 05
Projets : Asfalto Mon Amour **90** ;
Le jardin du Tiers-Paysage **93**

James Corner Field Operations
www.fieldoperations.net
New York, États-Unis / Tél : +1 212 433 1450
Projet : The High Line **82**

John Mini Distinctive Landscapes
www.johnmini.com
Congers, New York, États-Unis /
Tél : +1 845 267 5300
Projet : The Lowline **86**

Ken Smith Workshop
www.kensmithworkshop.com
New York, États-Unis / Tél : +1 212 791 3595
Projet : Station d'épuration de Croton **96**

Land Arkitektur
www.landarkitektur.se
Stockholm, Suède / Tél : +46 8 410 608 70
Projet : Drivhus **173**

Land'Act
www.land-act.fr
Levallois-Perret, France / Tél : +33 1 41 11 80 11
Projet : Tour maraîchère **198**

Lendlabor
www.lendlabor.at
Graz, Autriche
Projet : breathe.austria **228**

Mathews Nielsen Landscape Architects
www.mnlandscape.com
New York, États-Unis / Tél : +1 212 431 3609
Projet : The Lowline **86**

Mosbach Paysagistes
www.mosbach.fr
Paris, France / Tél : +33 1 53 38 49 99
Projet : Jade Eco Park **232**

MOZ Paysage
mozpaysage.com
Lyon, France / Tél : +33 9 86 23 91 06
Projet : Bâtiment d'enseignements mutualisés **124**

Patrick Blanc
www.murvegetalpatrickblanc.com
Projet : One Central Park **26**

Piet Oudolf
oudolf.com
Hummelo, Pays-Bas / Tél : +31 314 381 120
Projet : The High Line **82**

Raderschall Partner
www.raderschall.ch
Melien, Suisse / Tél : +41 44 925 55 00
Projet : Parc MFO **102**

Terragram
terragram.com.au
Surry Hills, Sydney, Australie / Tél : +61 2 9211 6060
Projet : Waterloo Youth Centre **24**

terrain:
terrain.de
Graz, Autriche / Tél : +43 316 838 699
Munich, Allemagne / T : +49 89 92638297
Projet : breathe.austria **228**

Crédits des illustrations

Tous les dessins, schémas et autres illustrations ont été aimablement fournis par les architectes, sauf mention contraire.

Anna Yudina est auteure et commissaire d'expositions sur des sujets à la frontière entre architecture, design, art, science et technologie. Elle a co-fondé le magazine *Monitor*, dédié aux innovations dans le domaine de l'architecture et du design, et organisé un grand nombre d'expositions internationales, comme celles consacrées à Zaha Hadid ou à Jakob + MacFarlane.

L'édition originale de ce livre a été publiée en 2017
au Royaume-Uni par Thames & Hudson Ltd,
181A High Holborn, Londres WC1V 7QX sous le titre :
Garden City: Supergreen Buildings, Urban Skyscapes and the New Planted Space
© 2017 Anna Yudina
Illustrations © 2017 les ayants-droit ; voir ci-dessus pour les détails.
All Rights Reserved.

Pour l'édition française :
© 2017 Les Éditions Ulmer
24, rue de Mogador
75009 Paris
Tél. : 01 48 05 03 03
Fax : 01 48 05 02 04
www.editions-ulmer.fr

Traduction de l'anglais : Virginie de Bermond-Gettle
Responsabilité éditoriale : Antoine Isambert
Maquette : Anna Yudina
Réalisation : Camille Fouché
ISBN : 978-2-84138-937-7
N° d'édition : 937-01

Dépôt légal : août 2017
Printed in China